B.A.-BA
de la photo
NUMERIQUE

B. A.-BA
de la photo
NUMERIQUE

Tout sur les nouvelles technologies de la photo numérique

Tim Daly

ÉDITIONS FRANCE LOISIRS

Titre original : A BEGINNER'S GUIDE
TO DIGITAL PHOTOGRAPHY
(or The Desktop Photographer)

© 2002, Quarto Publishing plc
6 Blundell Street, Londres N7 9BH,
Grande-Bretagne, pour l'édition originale

© 2003, Éditions Solar, Paris, France
pour l'adaptation française

ISBN: 2-7441-6857-2
N° éditeur : 40701
Dépôt légal : mai 2004

Édition du Club France Loisirs, Paris
Avec l'autorisation des Éditions Solar

Éditions France Loisirs,
123, boulevard de Grenelle, Paris
www.franceloisirs.com

SOMMAIRE

INTRODUCTION

LES APPAREILS PHOTO NUMÉRIQUES REPRÉSENTENT UNE VÉRITABLE INNO-VATION TECHNOLOGIQUE. ILS OFFRENT UNE GRANDE FACILITÉ D'UTILISATION ET UNE SUPERBE QUALITÉ D'IMAGE POUR DES PRIX ACCESSIBLES. C'EST LE BON MOMENT POUR PENSER NUMÉRIQUE.

Si vous êtes le genre de photographe qui attend anxieusement que ses tirages reviennent du labo, le numérique est vraiment fait pour vous. Dites adieu aux pellicules et aux bacs à développer. Cette nouvelle technique changera radicalement votre rapport à la photo.

La généralisation des ordinateurs personnels et des imprimantes à jet d'encre de haute qualité permet de réaliser des impressions de photographies rapidement et facilement. Mais les choses vont plus loin : les images numériques sont prêtes pour l'internet. Vous pouvez les transmettre par e-mail, les télécharger vers un site de laboratoire photographique ou les afficher directement sur votre site web. Si vous êtes un internaute convaincu, la photographie numérique est le moyen le plus rapide de faire partager vos documents.

Cet ouvrage vous aidera à choisir un appareil photo numérique et vous initiera à son fonctionnement. Des avis autorisés sur les ordinateurs, leurs périphériques et les types d'appareils précèdent une description des quatre principaux logiciels de traitement de l'image. Un bon logiciel peut faire des miracles en offrant la possibilité de « rattraper » une erreur de prise de vue.

Quelques explications sur les technologies de base vous aideront à éviter les pièges qui guettent tout néophyte. Pour les lecteurs qui viennent à la photographie, il existe de nombreuses astuces pour obtenir de meilleures épreuves en utilisant des techniques simples. Ceux qui sont déjà familiarisés avec la photo numérique trouveront des conseils pour corriger et améliorer des documents décevants, et des procédés éprouvés pour remédier à des désastres comme l'effet yeux rouges ou un arrière-plan trop riche.

Les lecteurs plus aventureux apprécieront sans doute les études qui les guideront pas à pas à travers diverses techniques créatives, y compris celles qui consistent à fusionner les documents. Des descriptions précises des outils et processus communs à tous les logiciels sont au centre de chaque projet.

Bourré d'informations, de conseils et d'astuces de professionnels, cet ouvrage, avec l'aide des ressources online fournies par l'internet et les services d'impression et d'édition du web, constituera pour vous un précieux sésame pour entrer dans le monde nouveau de la photographie numérique.

COMMENT UTILISER CET OUVRAGE

L'information est présentée sous forme de modules qui couvrent trois grands domaines : le matériel (appareils, ordinateurs et logiciels, p. 8) ; les techniques créatives (la photographie, p. 50) ; le rendu (imprimer et publier, p. 112). Chaque module porte un titre évocateur, afin que l'information soit facilement et rapidement accessible.

MENUS
Les menus, les palettes et les boîtes de dialogue sont reproduits et leurs fonctions sont expliquées.

TITRES DES MODULES
Module 4 (logiciels), section 5 (Adobe Photoshop). Photoshop est-il le bon logiciel pour vous ?
Commencez par cette page.

BOÎTE À OUTILS
Les icônes de la boîte à outils qui apparaît sur votre écran évitent toute confusion quant au bouton sur lequel il convient de cliquer.

POINTS CLÉS
Les logiciels sont classés par niveaux de difficulté (de débutant à professionnel) et par coût (1 bourse pour les moins chers, 5 pour les plus coûteux).

ÉTUDES
Mettez vos talents et votre créativité à l'épreuve avec des études expliquées pas à pas.

INFORMATION
Chaque étude est classée de 1 à 5 selon son niveau de difficulté et le temps nécessaire pour la mener à bien. Le niveau de difficulté augmente à mesure que l'ouvrage progresse.

TRUCS ET ASTUCES
Des astuces de professionnels sont révélées ici.

RENVOIS
Renvois aux pages de l'ouvrage pouvant éclairer un thème donné.

RACCOURCIS
Évitez de sélectionner de nombreux menus grâce aux raccourcis clavier.

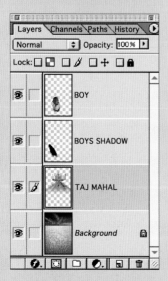

APPAREILS
ORDINATEURS
ET LOGICIELS

MODULE 01.1

L'ORDINATEUR →
LES COMPOSANTS INTERNES

IL N'EST PAS NÉCESSAIRE D'AVOIR FAIT L'ÉNA POUR COMPRENDRE COMMENT FONCTIONNE UN ORDINATEUR.

ACHETER MALIN

Les ordinateurs sont en constante évolution, ce qui signifie que leurs prix peuvent baisser de manière significative. Si vous avez un budget limité, vous pouvez faire de bonnes affaires en achetant online ou par correspondance des machines déstockées (les modèles de l'année précédente) ou du matériel d'occasion. Les magazines spécialisés en informatique établissent des listes comparatives de différentes marques et modèles et de leurs prix.

Beaucoup de revendeurs offrent des « packs informatiques » comportant un ordinateur, un scanner, une imprimante et un logiciel pour un prix compétitif ; assurez-vous toutefois que chacun de ces éléments vous convient.

PROCESSEUR

Le processeur est en quelque sorte le moteur de votre ordinateur, capable d'effectuer des calculs à la vitesse de la lumière. Comme pour une voiture, vous pouvez acheter un ordinateur plus ou moins rapide. Sa vitesse est exprimée en mégahertz (MHz) qui correspondent chacun à 1 million de cycles par seconde. Les tout derniers modèles atteignent 2 GHz (gigahertz ; 1 GHz = 1 000 MHz), mais plus que la vitesse ce qui importe c'est un ordinateur bien installé. Certains ordinateurs sont équipés de deux processeurs, ce qui facilite le travail sur des documents complexes.

MÉMOIRE VIVE (RAM)

Comme le processeur, la mémoire vive (ou RAM : Random Access Memory) est un composant interne qui n'apparaît pas sur l'écran. Elle a pour fonction de stocker les données lorsque les applications et les documents sont ouverts. Toutes les données contenues dans la mémoire vive sont perdues si vous éteignez votre ordinateur ou en cas de panne, aussi est-il essentiel d'enregistrer régulièrement votre travail. Les images numériques prenant plus de place que des documents ne comportant que du texte, vous avez besoin de davantage de mémoire vive. Celle-ci étant relativement bon marché, 128 Mo (méga-octets) de RAM semblent un bon point de départ, mais si vous pouvez aller jusqu'à 256 Mo, vous apprécierez la différence.

Lorsque la mémoire vive n'est plus suffisante pour faire tourner toutes les applications, une mémoire secondaire, « virtuelle », prend le relais sur le disque dur. Ce dispositif étant moins rapide, il est préférable d'acheter un ordinateur sur lequel il est prévu de pouvoir ajouter de la mémoire vive.

MÉMOIRE VIVE
(RAM)

CÂBLES

DISQUE DUR

Le disque dur d'un ordinateur a pour fonction de stocker les données : documents et applications fermés. À la manière d'une bibliothèque pleine de livres, il peut conserver une énorme quantité de données, mais c'est à vous de les organiser correctement.

La plupart des disques durs sont livrés avec une très grande capacité, comme 30 giga-octets, et permettent de travailler avec une grande rapidité. De nombreux ordinateurs possèdent un espace interne disponible qui peut être utilisé pour ajouter un deuxième ou même un troisième disque dur.

DISQUE DUR

SYSTÈMES D'EXPLOITATION

Windows, Mac OS, Linus et Unix sont des logiciels d'exploitation. C'est d'eux que dépend l'aspect de votre bureau ; ils vous permettent d'organiser votre travail, mais leur but principal est de faciliter la communication entre votre ordinateur et les logiciels – tout comme votre système nerveux transmet les messages de votre cerveau à vos muscles.

Les systèmes d'exploitation sont constamment développés et actualisés afin de s'adapter aux derniers développements technologiques, vous permettant ainsi de travailler de manière plus spontanée. Beaucoup d'extensions comme les scanners ou les imprimantes sont conçues autour d'un système d'exploitation spécifique ; il est facile de se procurer les mises à jour.

UN ORDINATEUR est doté de ports permettant de le relier à des périphériques.

PORTS

LES PORTS SONT REGROUPÉS À L'ARRIÈRE DE L'ORDINATEUR.

Utilisés pour connecter un ordinateur à un appareil externe – scanner ou imprimante –, les ports sont des prises un peu spéciales. Comme les autres composants de l'ordinateur, ils ont été développés au fil des années pour permettre de transférer plus rapidement un plus gros volume de données. Parallèles, en série, SCSI, USB et FireWire sont différents types d'interfaces utilisés par les périphériques ; ils doivent être raccordés au port correspondant à l'arrière de l'ordinateur. Vous devez vérifier la compatibilité de votre ordinateur avant d'acheter un nouveau périphérique, sinon, abstenez-vous ! D'autres ports sont utilisés pour raccorder le moniteur, les micros, la souris, le clavier et pour accéder à l'internet via le réseau téléphonique.

MODULE 01.2

L'ORDINATEUR →

MONITEURS, COULEUR ET CLAVIERS

VOUS N'IRIEZ PAS PEINDRE UN TABLEAU EN PORTANT DES LUNETTES ROSES : IL EST TOUT AUSSI IMPORTANT DE COMMENCER VOTRE TRAVAIL CRÉATIF AVEC UN ÉCRAN CLAIR, BIEN ÉTALONNÉ ET CORRECTEMENT CALIBRÉ.

MONITEURS

L'œil humain peut détecter une vaste gamme de nuances différentes : le moniteur d'un ordinateur n'est pas capable des mêmes prouesses. Il en existe deux types : les modèles à tube cathodique et les écrans plats de type LCD. Pour la photographie numérique, le moniteur est l'élément le plus important de votre installation ; comme l'objectif d'un appareil photo, il permet de corriger les détails et les couleurs à tout moment.

De même qu'un téléviseur, un moniteur a une durée de vie qui n'excède pas cinq ans et ne reproduit pas indéfiniment les couleurs avec exactitude. Résistez à la tentation d'acheter un modèle d'occasion.

GAMME DE COULEURS Toutes les images, qu'elles soient imprimées sur du papier ou regardées sur l'écran d'un ordinateur, sont limitées par les caractéristiques inhérentes au support. Si un logiciel a la capacité de distinguer des détails dans l'ombre la plus profonde ou dans les couleurs les plus vives, un moniteur ne peut afficher une gamme de couleurs comparable à un tirage sur papier ou à la vision de l'œil humain. L'image que vous voyez sur l'écran n'égalera jamais la version imprimée. Accepter ce fait évite des déceptions ultérieures.

TAILLE Les modèles les plus grands, comme les 19 ou 21 pouces, sont préférables pour traiter des photos car les applications comme Photoshop prennent beaucoup de place sur le bureau et en laissent peu pour la fenêtre de votre

APPLE iMAC

INSTALLATION

WINDOWS PC :
Allez dans **Démarrer > Paramètres > Panneau de configuration > Affichage > Configuration**. Pour les couleurs, choisissez 16 millions et pour la résolution, 800 x 600 ou plus.

MAC :
Allez dans **Menu Pomme > Tableaux de bord > Moniteurs**.

Pour le nombre de couleurs, cliquez sur Millions et pour la résolution, cliquez sur 800 x 600 ou plus.

document. Si votre budget est limité, contentez-vous d'un ordinateur un peu plus lent et investissez dans un bon moniteur 19 pouces d'une marque réputée comme Sony, Mitsubishi ou LaCie.

ÉCRANS PLATS Les moniteurs à écran plat, relativement nouveaux sur le marché, sont conçus pour prendre moins de place et doivent être soigneusement positionnés pour ne pas réfléchir la lumière de manière gênante. Ils coûtent jusqu'à trois fois plus cher que les modèles standard.

AFFICHAGE DES COULEURS Vous pouvez régler le moniteur de façon à afficher un maximum de couleurs. Une photographie aux nuances délicates s'affichera mal avec un nombre limité de couleurs, aussi devez-vous choisir « Millions de couleurs » lorsque vous configurez votre moniteur. Les valeurs plus basses, comme « 256 couleurs » ou même « Milliers de couleurs », ne vous donneront pas une bonne approche de la réalité. Tous les moniteurs devraient être calibrés à l'aide d'outils de logiciels tel Adobe Gamma plutôt qu'avec les fenêtres de base de l'ordinateur.

CALIBRAGE DES COULEURS Comme avec un écran de télévision, vous pouvez modifier le contraste, la brillance et l'équilibre des couleurs de votre moniteur, mais si vous voulez être sûr qu'il restitue les vraies couleurs et la luminosité de vos images, vous devez le calibrer ; sinon, vos photos auront un aspect différent de ce que vous voyez à l'écran.

OUTILS DE CALIBRAGE Certains logiciels sont livrés avec des outils de calibrage qui vous aideront à installer correctement votre poste de travail. L'un des plus connus, présent aussi bien sur les PC que les Macintosh, est Adobe Gamma. Cet utilitaire est très facile à utiliser et vous indique les modifications à effectuer. Ces dernières sont sauvegardées lorsque vous éteignez votre ordinateur.

MONITEUR À ÉCRAN PLAT

RÉSOLUTION DE L'ÉCRAN

Tous les ordinateurs vous permettent de modifier la résolution de votre moniteur pour travailler plus à l'aise. Les résolutions d'écran s'expriment en pixels de la manière suivante : 640 x 480 (VGA), 800 x 600 (SVGA), 1024 x 768 (XGA) et plus. Les très hautes résolutions diminuent la taille des outils et les rendent assez difficiles à utiliser, aussi une résolution moyenne est-elle préférable.

SOURIS ET CLAVIER

Ces deux éléments vous permettent de travailler sur votre ordinateur. S'il n'est pas évident au début de dessiner avec la souris, un peu de pratique fera de vous un expert.

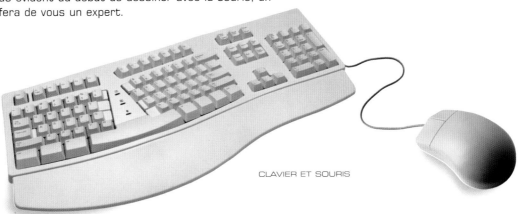

CLAVIER ET SOURIS

MODULE 01.3

L'ORDINATEUR →
LES PÉRIPHÉRIQUES

LES PÉRIPHÉRIQUES VOUS PERMETTENT D'IMPORTER ET DE TRANSFÉRER DES DOCUMENTS POUR LES STOCKER OU LES IMPRIMER.

SCANNER À PLAT

Même le plus simple des scanners vous permettra d'intégrer la résolution qui vous est nécessaire pour réaliser une bonne impression de vos documents. Grâce à la baisse significative de leur prix, ils sont accessibles à tous les utilisateurs. Les plus performants sont fabriqués par les sociétés qui équipent aussi les professionnels, comme Umax, Canon, Epson et Heidelberg. Les capots transparents proposés en option pour les scanners de faible prix valent rarement l'investissement et donnent souvent des résultats décevants.

SCANNER À PLAT

SCANNER POUR FILM

CONNEXION À L'INTERNET

Maintenant, la plupart des ordinateurs modernes se connectent à l'internet grâce à un modem interne, mais certains modèles ont encore besoin d'un module externe. L'accès à l'internet est indispensable si vous souhaitez joindre des photos à vos e-mails, créer votre propre site ou télécharger des mises à jour de logiciels.

SCANNER POUR FILM

Le scanner pour film constitue un outil intéressant pour les photographes traditionnels. Acceptant les films négatifs et positifs, il les convertit en images numériques prêtes à être imprimées. Détail non négligeable, il coûte environ quatre fois le prix d'un scanner à plat. Un scanner de prix moyen permet d'obtenir suffisamment de détails à partir d'un film de 35 mm pour envisager une impression de qualité en format A3.

Vous obtiendrez de meilleurs résultats en scannant un film plutôt qu'en effectuant un tirage papier, surtout si ce dernier est de mauvaise qualité. Si vous avez archivé des milliers de négatifs dans vos armoires, cet appareil vous permettra de ramener au jour de vieux souvenirs.

IMPRIMANTE

Les imprimantes à jet d'encre sont aujourd'hui accessibles ; un modèle de bonne qualité coûte moins de 450 euros. Elles sont classées en fonction du type de cartouche qu'elles utilisent – trois, quatre ou six couleurs. Pour une qualité d'impression optimale, optez pour des cartouches de six couleurs. La plupart des imprimantes acceptent des papiers de formats particuliers, comme le format panoramique ou carte postale.

Les imprimantes sont raccordées à l'ordinateur par un port USB ou parallèle ; si votre ordinateur n'est pas récent, vérifiez que vous avez le bon connecteur avant d'acheter une imprimante. Une innovation récente est l'imprimante photo, qui n'a pas besoin d'être raccordée à un ordinateur ; il suffit d'y insérer la carte mémoire contenant les photos pour imprimer.

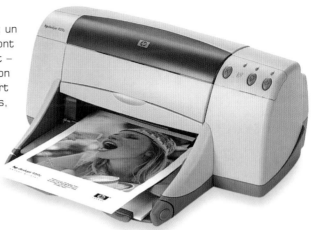

IMPRIMANTE À JET D'ENCRE

LECTEUR DE CARTE MÉMOIRE

LECTEUR DE CARTE MÉMOIRE

Les lecteurs de carte mémoire, qui ressemblent à de petits lecteurs de disque, permettent de transférer rapidement un document à partir d'une carte mémoire. Les meilleurs modèles utilisent des connexions USB ou FireWire ; les autres, qui utilisent des adaptateurs sur le lecteur de disquette, sont plus lents et plus chers.

CD-ROM ET AUTRES SUPPORTS

Si vous devez transférer vos images sur un autre ordinateur ou les envoyer à un spécialiste pour une impression particulière, vous aurez besoin d'un graveur de CD, interne ou externe à l'ordinateur. Les CD-Rom (CD-R et CD-RW) peuvent contenir des documents allant jusqu'à 650 Mo et constituent la manière la moins onéreuse et la plus sûre de stocker et de transporter vos documents. Les disquettes ne sont pas l'idéal pour stocker des images numériques. Les Zip, qui ont une capacité de 100 ou 250 Mo, sont intéressants, mais coûtent dix fois plus cher que les CD-Rom.

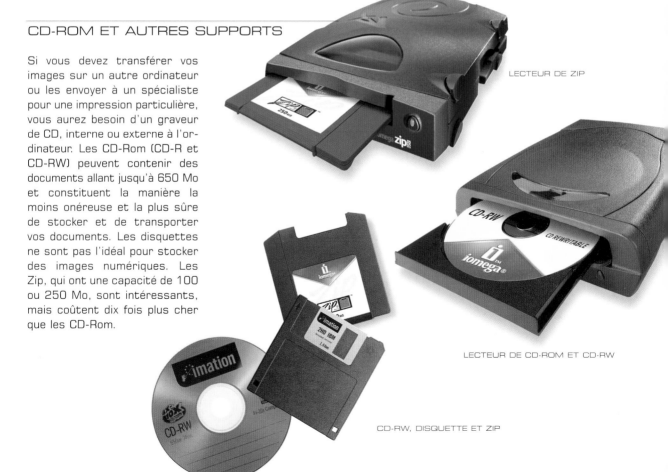

LECTEUR DE ZIP

LECTEUR DE CD-ROM ET CD-RW

CD-RW, DISQUETTE ET ZIP

MODULE 01.4

L'ORDINATEUR →
CHOIX DE L'UNITÉ CENTRALE

N'AYEZ PAS PEUR DE CHOISIR LE MAUVAIS TYPE D'ORDINATEUR : IL EXISTE AUJOURD'HUI DEUX SYSTÈMES PERFORMANTS. VOTRE CHOIX D'ACHAT NE DÉPEND QUE DE VOS GOÛTS PERSONNELS.

MACINTOSH OU PC ?

Il existe aujourd'hui deux types d'ordinateurs qui dominent le marché : les Macintosh (Apple) et ceux regroupés sous l'appellation générique Microsoft Windows. (On appelle souvent ces derniers des PC, bien que cela ne signifie rien sur le plan technique car ces lettres sont les initiales de Personal Computer.) Les ordinateurs Apple sont traditionnellement utilisés par les graphistes, alors que les PC sont présents dans les bureaux du monde entier. Apple est actuellement à la pointe, tant pour ce qui est du design de ses ordinateurs que des innovations techniques lui permettant de faire tourner des applications comme Photoshop et des logiciels d'édition vidéo. Les deux types sont utilisés dans les écoles et les universités partout dans le monde. Le choix n'est pas simple.

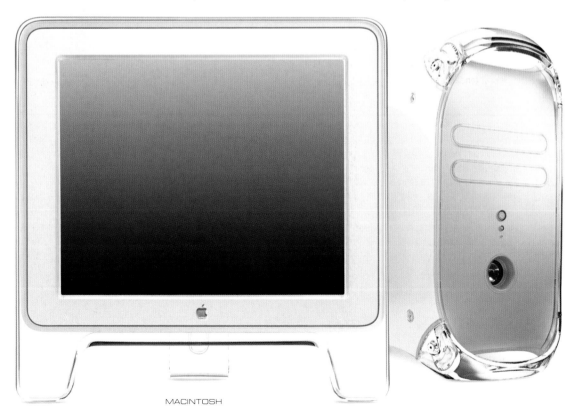

MACINTOSH

PC

Si les PC ont tendance à être moins chers, la différence de prix est cependant négligeable, aussi votre décision repose-t-elle entièrement sur vos préférences personnelles et vos compétences techniques en cas de pépin. Tous les ordinateurs Apple sont dessinés et construits avec des éléments standard, ce qui oblige les fabricants d'imprimantes et de scanners à s'aligner sur des spécifications rigides. Il y a peu de chances qu'un matériel nouveau ne fonctionne pas.

Les PC, bien qu'ils soient fabriqués par différentes sociétés de par le monde à partir d'éléments hétéroclites, font également l'objet de certains standards. En fait, il n'y a guère de différences entre les deux options.

Si vous êtes débutant en photographie numérique et souhaitez ne pas vous embarrasser de complications techniques pour commencer le plus rapidement pos-sible à vous amuser, un ordinateur Apple semble être le bon choix.

Ne vous laissez pas duper par les fabricants qui mettent la vitesse en avant comme argument de vente. Les performances des ordinateurs des deux types sont sensiblement égales malgré leurs moteurs différents. Apple a toutefois peut-être un léger avantage dans les applications très graphiques comme les logiciels d'édition vidéo.

ÉCHANGER DES FICHIERS D'UN SYSTÈME À L'AUTRE Vous avez peut-être entendu dire qu'il était impossible d'échanger des disques ou des fichiers d'un système à l'autre. C'est tout simplement faux. Si vous avez un PC au bureau et un Mac à la maison, il est tout à fait possible d'ouvrir le même fichier sur les deux ordinateurs, à condition d'ajouter une extension à son nom et d'avoir un support formaté pour un PC.

La règle d'or pour échanger vos fichiers est en effet d'utiliser un CD, un Zip ou une disquette, formaté PC. Les ordinateurs Apple peuvent lire et écrire sur des supports formatés pour Mac et PC, alors que les PC ne peuvent utiliser que du matériel formaté PC.

LES EXTENSIONS Si vous êtes un utilisateur Apple, la seconde règle pour être certain de la compatibilité d'un fichier est d'ajouter une extension de quelques lettres ou chiffres à son nom. Par exemple, si ce nom est « courrier », tapez « courrier.txt » ; cela permettra à une application de reconnaître l'un de ses formats autorisés. Sans extension, le fichier ne pourra être ouvert sur un PC.

MODULE 02.1

L'APPAREIL PHOTO NUMÉRIQUE →
QU'EST-CE QU'UN APPAREIL NUMÉRIQUE ?

AU VU DU NOMBRE DE MODÈLES, L'ACHAT D'UN APPAREIL NUMÉRIQUE
PEUT SEMBLER UNE ENTREPRISE HASARDEUSE. MAIS LES SPÉCIFICATIONS
DES APPAREILS MODERNES GARANTISSENT UNE QUALITÉ SANS FAILLE.
ET VOUS OBTIENDREZ DE BONS RÉSULTATS MÊME AVEC UN PETIT BUDGET.

FLASH

DÉCLENCHEUR

VISEUR

CACHE-
OBJECTIF

OBJECTIF

BATTERIE/
CARTE MÉMOIRE

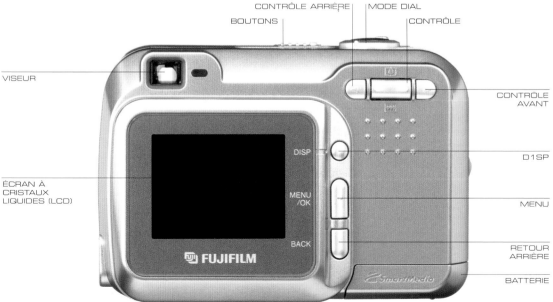

CONTRÔLE ARRIÈRE   MODE DIAL

BOUTONS   CONTRÔLE

VISEUR

CONTRÔLE
AVANT

ÉCRAN À
CRISTAUX
LIQUIDES (LCD)

D1SP

MENU

RETOUR
ARRIÈRE

BATTERIE

PIXELS

Les appareils numériques sont équipés d'un capteur optique CCD (Charge-Coupled Device). Sous un microscope, le CCD ressemble à un rayon de miel dont chaque cellule agirait comme un récepteur photosensible. Ces cellules sont soumises à la lumière par l'objectif de l'appareil ; leur degré d'imprégnation lumineuse détermine la couleur plus ou moins vive des pixels. Chaque cellule élabore un pixel. Les meilleurs appareils possèdent des capteurs qui produisent une photo comportant plus d'un million de pixels. Plus ils sont nombreux, plus l'impression pourra être grande.

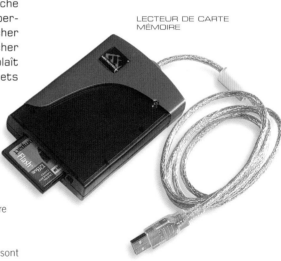

CHARGEUR ET
ADAPTATEUR

ALIMENTATION

Les appareils numériques étant dénués de boîtier pour les pellicules, d'enrouleurs mécaniques et de miroirs, ils sont plus légers et plus petits que les appareils traditionnels. Toutefois, dans la mesure où leur fonctionnement dépend totalement de l'électricité, ils sont entièrement dépendants de leurs batteries. Achetez toujours un appareil pourvu de batteries rechargeables et d'un chargeur fourni dans le kit de base.

ÉCRAN À CRISTAUX LIQUIDES (LCD)

Les appareils photo numériques possèdent un élément supplémentaire pour composer une photographie : un écran dorsal qui affiche la photo qui va être prise. D'une taille de 5 cm environ, il vous permet de vérifier la qualité de votre prise de vue sans avoir à loucher à travers un minuscule objectif. Mieux encore, vous pouvez afficher la photo qui vient d'être prise et la supprimer si elle ne vous plaît pas. Les têtes coupées, les pouces devant l'objectif et les sujets clignant des yeux sont désormais choses du passé.

LECTEUR DE CARTE
MÉMOIRE

STOCKAGE Une fois prises, les photos sont immédiatement transférées sur la carte mémoire, où elles peuvent être stockées, montrées ou regardées, voire effacées. Les cartes mémoire sont disponibles en différentes capacités, comme les cassettes vidéo ; elles vous permettent de stocker les photos avant de les transférer dans votre ordinateur.

PRÉVISUALISATION Une fois rentré à la maison, vous pouvez visionner vos prises de vue sur un téléviseur à l'aide d'un câble d'entrée vidéo. Pour transférer les photos sur votre ordinateur, utilisez le câble fourni avec votre appareil ou retirez la carte mémoire et insérez-la dans un lecteur prévu à cet effet. Une fois les photos sauvegardées, vous pouvez les effacer de votre carte mémoire pour réutiliser cette dernière à volonté.

FILMS Beaucoup d'appareils photo vous donnent la possibilité de réaliser de courtes séquences et de les sonoriser. Des images de qualité médiocre sont enregistrées au rythme de 15 par seconde, puis animées à la manière d'une vidéo. Il vaut mieux les charger sur votre ordinateur plutôt que sur votre téléviseur.

Les appareils les plus récents sont conçus pour tirer parti des derniers développements technologiques et peuvent être directement connectés à une imprimante ou à un service d'impression commercial, sans toutefois que vous ayez la possibilité d'intervenir sur vos photographies. Certains appareils peuvent même être reliés à un téléphone portable pour transmettre des photos comme des e-mails.

CARTES MÉMOIRE
SMARTMEDIA ET
COMPACTFLASH

MODULE 02.2

L'APPAREIL PHOTO NUMÉRIQUE →
TYPES D'APPAREILS

LA PLUPART DES APPAREILS SONT DE TYPE COMPACT, LES REFLEX, À RÉGLAGE MANUEL, ÉTANT RÉSERVÉS AU MARCHÉ PROFESSIONNEL.

La résolution, ou quantité de pixels que votre appareil peut afficher, est le facteur essentiel qui détermine son coût, mais il n'est pas nécessaire d'acheter le plus cher du marché. Toutefois, un appareil perfectionné vous donne accès à des modes de réglage plus complets, vous permet de faire des photos de qualité, et certains modèles disposent d'objectifs interchangeables.

LES COMPACTS

Petits et d'apparence sobre, ce sont les appareils numériques les plus vendus. Pourvus de nombreux contrôles automatiques, d'un flash intégré et de différents modes de prise de vue en fonction des conditions, ils sont conçus pour vous faciliter la vie quelle que soit la photo que vous souhaitez réaliser.

APPAREIL NUMÉRIQUE COMPACT

OBJECTIFS Rares sont les compacts qui vous permettent de changer d'objectif, mais beaucoup vous offrent la possibilité d'adapter un complément grand-angle. Si vous êtes habitué au 35 mm, ne travaillez pas forcément avec son équivalent numérique. Les récepteurs d'un appareil numérique étant plus petits qu'un film de 35 mm, son objectif devrait être extra-large pour obtenir les mêmes conditions de prise de vue : par exemple, un zoom de 8 à 24 mm sur un appareil numérique correspond à un zoom de 35 à 115 mm sur un appareil argentique.

MISE AU POINT Tous les appareils compacts utilisent l'autofocus, avec la possibilité de vérifier les cadrages sur l'écran LCD. Vous n'avez pas besoin de manipuler votre objectif pour faire la mise au point.

STOCKAGE Les appareils compacts utilisent l'une ou l'autre des deux cartes mémoire existantes – CompactFlash ou SmartMedia. Les appareils Sony ont leur propre format de carte, MemoryStick.

RÉSOLUTION Elle est variable selon les appareils. Les modèles haut de gamme offrent plus de 4 millions de pixels. Néanmoins, vous obtiendrez une bonne qualité de document à partir de 2 millions de pixels.

APPAREIL NUMÉRIQUE
COMPACT AVEC ZOOM

ACHETEZ MALIN

PILES ET BATTERIES
Assurez-vous que l'appareil que vous allez acheter est pourvu d'un adaptateur et d'un chargeur, même si cela augmente quelque peu son coût. Certains appareils n'acceptent que les piles non rechargeables, ce qui les rend très chers à l'usage, surtout si vous utilisez l'écran LCD.

MÉMOIRE
Certaines sous-marques utilisent des cartes mémoire internes plutôt que des cartes amovibles. Ce qui a pour effet de limiter la capacité de stockage.

TRANSFERT SUR ORDINATEUR
Beaucoup d'appareils récents sont équipés de dispositifs qui rendent le transfert d'images sur ordinateur plus simple. C'est une bonne solution pour gagner du temps.

LES REFLEX

Les appareils reflex utilisent un astucieux système de miroirs qui vous permet de voir votre image à travers l'objectif plutôt qu'à travers une visée décalée, comme c'est le cas avec un compact. Ce type d'appareil vous donne la possibilité d'un meilleur contrôle du cadrage et de la vitesse. Pour ceux qui sont habitués à la photographie traditionnelle, l'appareil reflex constitue un « must ».

APPAREIL REFLEX PROFESSIONNEL
AVEC OBJECTIF CLASSIQUE

APPAREIL « COMPACT » REFLEX,
AVEC CONTRÔLE DES TEMPS
DE POSE

LES OBJECTIFS Les appareils de qualité fabriqués notamment par Nikon, Fuji et Canon sont conçus pour utiliser les mêmes objectifs que les appareils argentiques, mais, avec un petit capteur, ces objectifs n'auront pas la même focale qu'avec un appareil traditionnel. La mise au point se fait automatiquement, mais il est possible d'effectuer des contrôles manuels pour créer des effets particuliers.

L'ENCOMBREMENT Les reflex sont conçus pour être résistants et constituent un investissement à long terme. Ils sont plus lourds et plus volumineux que les compacts.

TECHNOLOGIES CROISÉES

Avec le développement de la téléphonie mobile, les appareils photo numériques sont devenus multifonctionnels. Ainsi, certains d'entre eux peuvent enregistrer des airs de musique sur leur carte mémoire et les jouer par l'intermédiaire d'un téléphone portable. D'autres, avec téléphone mobile intégré, vous permettent d'envoyer vos photos où vous le voulez sur le réseau.

LE FLASH Bien qu'ils soient étudiés pour fonctionner sous lumière artificielle ou sous faible éclairage, les appareils reflex peuvent également être équipés d'un flash plus puissant.

LA RÉSOLUTION La plupart des appareils numériques reflex sont conçus pour les professionnels et ont des capteurs haute résolution. Beaucoup d'entre eux vont jusqu'à 6 millions de pixels ou plus.

LES CARTES MÉMOIRE Les appareils reflex peuvent utiliser des cartes d'une grande capacité, comme la Microdrive d'IBM (1 giga-octet), qui vous permet de stocker une énorme quantité d'images.

ACHETEZ MALIN

PILES ET BATTERIES
Évitez les appareils qui ont plus d'une batterie pour ne pas être obligé d'emporter plusieurs jeux de rechange avec vous. Les meilleurs appareils, comme le Nikon D1, ne possèdent qu'une seule batterie de grosse capacité : elle pourvoit à toutes les fonctions et offre une autonomie d'une journée. Un bon investissement pour le passionné de photographie est le chargeur de batterie qui se branche sur l'allume-cigare de la voiture, permettant ainsi de recharger l'appareil en déplacement.

MÉMOIRE
Les meilleurs appareils sont conçus « pour le futur », avec plus d'un type de support de mémoire. Quand vous achetez un appareil, renseignez-vous sur les offres spéciales concernant les cartes à grande capacité, comme la Microdrive d'IBM.

TRANSFERT SUR ORDINATEUR
Beaucoup de professionnels sont équipés d'un dispositif accéléré nommé FireWire, indispensable pour transférer des images lourdes sur un ordinateur.

MODULE 02.3

L'APPAREIL PHOTO NUMÉRIQUE →
LES DIFFÉRENTES FONCTIONS

AVEC LA MULTIPLICITÉ DES BOUTONS ET DES MENUS, VOUS RISQUEZ DE VOUS EMMÊLER LES PIEDS À L'IDÉE MÊME D'ALLUMER VOTRE APPAREIL NUMÉRIQUE. LES FONCTIONS ESSENTIELLES SONT DÉTAILLÉES ICI.

À la différence des appareils argentiques, les appareils numériques ne disposent pas d'un obturateur mécanique, mais électronique ; de ce fait, vous n'entendez pas le « clic » familier lorsque vous pressez sur le bouton. Cela peut être un peu déconcertant au début, dans la mesure où vous ne savez pas si la photo a été prise ou non.

LA PRISE DE VUE

LA NORME ISO Comme les films des appareils traditionnels, les capteurs des appareils numériques sont plus performants lorsqu'ils travaillent à vitesse lente, 100 ou 200 ISO (International Standards Organization). Les meilleurs appareils permettent d'obtenir une gamme allant de 100 à 800 ISO, mais un indice de sensibilité élevé donne une photo de moins bonne qualité : « bruitée ». Cet effet apparaît notamment dans les ombres, sous forme de pixels rouges ou verts.

200 ISO

800 ISO

LE FLASH Tous les appareils numériques possèdent un flash intégré, plus ou moins puissant. Sur les appareils de petit prix, le flash n'est vraiment efficace que dans les petites pièces. La plupart ne sont pas assez puissants pour éclairer

les sujets placés à plus de 5 mètres et donnent des résultats sombres et décevants. Seuls les appareils reflex et les compacts haut de gamme disposent d'une prise pour brancher un flash de meilleure qualité.

L'ÉCRAN LCD Tous les appareils disposent d'un écran LCD (Liquid Crystal Display), utilisé lors du cadrage et pour vérifier si la photo est bonne. Il est aussi possible de l'employer pour afficher les menus et effectuer certains contrôles, mais cela vide rapidement la batterie !

L'ÉCRAN LCD vous permet de visualiser vos photos avant de les éditer.

FAIRE CONFIANCE À L'ÉCRAN LCD

Il est impossible de juger de la netteté d'une photo sur le minuscule écran LCD, et il peut donner parfois une fausse idée du résultat. En cas de doute, prenez une seconde photo ou visionnez-la sur l'écran de votre télévision.

L'ÉDITION

LES CARTES MÉMOIRE Il n'est pas indispensable d'acheter une carte mémoire de grande capacité car vous pouvez effacer les photos qui ne vous plaisent pas. Tous les appareils permettent de supprimer une photo ou un groupe de photos, ou encore de vider la carte entière pour recommencer immédiatement. Inutile de conserver vos erreurs.

ÉDITION SUR ÉCRAN Si vous n'avez pas envie d'éditer votre travail en extérieur, vous pouvez brancher votre appareil sur la télévision et regarder vos photos avant de les transférer sur votre ordinateur. Vous serez surpris de leur qualité quand elles apparaîtront sur l'écran et surtout, vous pourrez les montrer à vos parents et amis.

ENREGISTREMENT SONORE ET VIDÉO Beaucoup d'appareils compacts vous permettent de réaliser de courts films – leur longueur varie selon la capacité de la carte mémoire. Ils sont habituellement stockés sous forme de fichiers MPEG qui peuvent être chargés sur n'importe quel ordinateur. Sur les appareils les plus récents, un commentaire verbal peut être enregistré simultanément.

00:00:07

LES CLIPS VIDÉO peuvent être visionnés sur des applications comme Windows Media Player ou Quicktime. Elles fonctionnent comme les magnétoscopes traditionnels, vous permettant d'avancer, de vous arrêter ou de revenir en arrière.

BALANCE DES BLANCS

S'il vous est arrivé d'obtenir un tirage orange ou verdâtre après avoir pris une photo en éclairage artificiel, vous serez heureux d'apprendre que les appareils numériques permettent de régler la balance des blancs pour résoudre ce problème. Pour prendre des photos lorsque l'éclairage domestique ou les tubes fluorescents sont les seules sources de lumière, utilisez cette fonction afin de rééquilibrer les couleurs. N'oubliez pas de la désactiver pour les prises de vue extérieures.

PRISE SOUS UNE LAMPE AU TUNGSTÈNE, la photo de gauche a été réalisée avec la balance des blancs réglée sur Lumière du jour. Pour corriger cela, choisissez le réglage Éclairage à incandescence.

PRISE SOUS UNE LAMPE AU NÉON, la photo de gauche a été réalisée avec la balance des blancs réglée sur Lumière du jour, d'où sa couleur verte caractéristique. Pour corriger cela, choisissez le réglage Éclairage fluorescent. Les meilleurs appareils proposent différentes balances des blancs, correspondant à chaque type d'éclairage.

MODULE 02.4

L'APPAREIL PHOTO NUMÉRIQUE →
CAPTURER LES IMAGES

CONTRAIREMENT AUX APPAREILS TRADITIONNELS QUI PRODUISENT DES TIRAGES TOUJOURS IDENTIQUES, LES APPAREILS NUMÉRIQUES PEUVENT FOURNIR DES IMAGES DE DIFFÉRENTES TAILLES ET QUALITÉS.

LA TECHNIQUE PHOTOGRAPHIQUE

Prenez vos photos d'une main ferme pour éviter qu'elles ne soient floues, surtout si la lumière est mauvaise. Quand la lumière est faible, votre appareil choisit, pour compenser, une vitesse d'obturation lente, comme 1/30 de seconde ou plus. Le corollaire fâcheux de ce choix est que la moindre secousse donne une photo floue. Nettoyez bien votre objectif avec un chiffon non pelucheux et faites attention aux traces de doigts.

Utilisez un flash, à l'extérieur, si le ciel est couvert ou nuageux. La lumière supplémentaire rendra vos couleurs plus vives et estompera les ombres peu flatteuses des portraits.

Essayez de prendre vos photos avec le soleil derrière vous, sinon elles seront peu contrastées et leurs couleurs délavées.

QUALITÉ DE L'IMAGE

Lorsque vous enregistrez une image, vous pouvez contrôler le niveau de compression utilisé par votre appareil pour réduire la taille du fichier. Les images JPEG « qualité faible » prennent peu de place, mais vous aurez une qualité d'impression médiocre. Les images JPEG « qualité maximale » occupent plus d'espace, mais le résultat sera à la hauteur. Si vous ne pouvez stocker que quelques images de qualité sur votre carte mémoire, achetez-en une de plus grande capacité.

RÉGLAGE DE L'APPAREIL Si l'indice ISO de votre appareil va de 100 à 800, utilisez l'indice le plus bas pour photographier de petits détails. Les indices élevés donnent du grain et des mouchetures.

Les appareils possèdent un mode haute résolution (1 600 x 1 200 pixels, par exemple) et un mode basse résolution (640 x 480 pixels, pour la plupart). Les hautes résolutions permettent des impressions grand format de qualité. Réservez les basses résolutions pour l'internet.

UTILISATION DU ZOOM NUMÉRIQUE Avec un zoom numérique, l'image est agrandie par le logiciel, non par un téléobjectif. Sa partie centrale est complétée par des pixels obtenus par interpolation, au détriment de sa précision.

LA BALANCE DES BLANCS Les appareils numériques peuvent être réglés pour fonctionner sous différents types de lumière artificielle. Si vous ne savez pas quel réglage choisir, optez pour « Auto ».

PHOTOGRAPHIÉ AVEC UN ZOOM TRADITIONNEL poussé au maximum, le sujet est encore trop éloigné.

UN ZOOM NUMÉRIQUE permet un cadrage plus serré, mais vous perdez en précision.

PRISE DE VUE AVEC ÉCLAIRAGE FAIBLE En l'absence de lumière, les capteurs numériques placent les pixels les plus colorés au hasard dans la photo. Utilisez un flash si la lumière est mauvaise, mais n'attendez pas de miracles.

LES FILTRES N'utilisez jamais la fonction « High » du filtre pour prendre une photo. Cela crée de grosses lignes peu naturelles et impossibles à enlever autour des sujets. Réglez le filtre sur « Low » ou ne l'utilisez pas du tout. Vous pourrez toujours retoucher votre photo par la suite.

FILTRE DÉSACTIVÉ

FILTRE RÉGLÉ SUR « LOW »

FILTRE RÉGLÉ SUR « HIGH »

RETOUCHER OU JETER ?

Malgré les possibilités des logiciels de retouche, il peut être plus sensé de refaire une photo ratée que de passer des heures à essayer de la rattraper, notamment dans les cas suivants :

■ La photo est floue ou hors cadre.
■ Un doigt ou un pouce a masqué l'objectif.
■ La photo est très sombre ou très claire.

LES MINI-IMPRIMANTES vous permettent d'effectuer des tirages directement à partir de votre appareil.

MODULE 02.5

L'APPAREIL PHOTO NUMÉRIQUE →
TRANSFÉRER DES PHOTOS SUR VOTRE ORDINATEUR

RÉGLER CORRECTEMENT VOTRE ORDINATEUR EST LA CHOSE LA PLUS IMPORTANTE POUR TRANSFÉRER VOS PHOTOS. SI VOUS RENCONTREZ DES PROBLÈMES, IL EXISTE CERTAINES SOLUTIONS À ESSAYER.

MANIPULER LES CARTES MÉMOIRE

Les cartes mémoire SmartMedia sont à manipuler avec précaution une fois extraites de l'appareil et il faut éviter de toucher le connecteur en or. Les cartes CompactFlash sont plus épaisses et plus solides, mais assurez-vous que les deux rangées de stries minuscules situées à la base ne sont pas obstruées par la poussière. Ne manipulez jamais une carte en présence d'eau ou de sable et remettez-la dans l'appareil dès que vous avez terminé.

CARTES MÉMOIRE SMARTMEDIA

APPAREIL COMPACT AVEC CARTE MÉMOIRE DE GRANDE CAPACITÉ

SE REMETTRE À LA PAGE

Si vous utilisez de nouveaux outils comme un appareil photo numérique ou une carte mémoire sur un ordinateur qui n'est pas très récent, vous pouvez rencontrer des problèmes de compatibilité. Le meilleur moyen de les résoudre est de visiter le site web du constructeur et de télécharger les mises à jour dont vous avez besoin. Suivez ensuite les instructions d'installation sur l'écran.

LE TRANSFERT

Une fois que les photos sont prises et stockées sur la carte mémoire de votre appareil, vous allez devoir les transférer sur votre ordinateur. En fait, les fichiers photos vont être copiés et stockés dans votre ordinateur, laissant les originaux intacts sur votre carte mémoire.

DIRECTEMENT DEPUIS L'APPAREIL Avant toute chose, vous devez installer le logiciel de pilotage de votre appareil photo numérique sur votre ordinateur. Si vous n'avez jamais installé de logiciel auparavant, tout ce que vous avez à faire est d'insérer le disque et de suivre pas à pas les instructions. Attendez que l'installation soit achevée, puis redémarrez votre ordinateur.

Avant d'utiliser ce logiciel, créez son alias sur le bureau afin de n'avoir qu'à double-cliquer dessus pour l'ouvrir. Branchez l'appareil à l'aide de son adaptateur. Ouvrez le pilote, cliquez sur Acquérir ou Télécharger et regardez vos images apparaître, de la grosseur d'une vignette. Pour charger chacune d'elles, cliquez dessus et attendez qu'elle s'agrandisse. Enregistrez-la immédiatement au format TIFF. L'image peut maintenant être ouverte dans un logiciel de retouche d'image.

LECTEUR DE CARTE MÉMOIRE

PETITS PROBLÈMES D'ICÔNES

SI L'ICÔNE DE VOTRE CARTE MÉMOIRE N'APPARAÎT PAS SUR L'ÉCRAN, vérifiez les points suivants :
- Avez-vous correctement introduit la carte dans le lecteur ?
- Avez-vous connecté le lecteur sur le bon port ?
- Si rien ne marche, débranchez le lecteur et redémarrez votre ordinateur.

UTILISATION D'UN PORTEFEUILLE NUMÉRIQUE Au lieu de transporter des cartes mémoire en pagaille, optez pour le portefeuille numérique. Vous pouvez y transférer le contenu de votre carte mémoire et réutiliser celle-ci immédiatement. Les derniers modèles offrent d'énormes capacités de stockage, de l'ordre de 10 à 20 giga-octets. Ce porte-photos numérique est la solution idéale si vous devez passer de longues périodes loin de chez vous.

CARTE MÉMOIRE MICRODRIVE AVEC ADAPTATEUR POUR TRANSFÉRER LES IMAGES.

UN LECTEUR DE CARTES

Installez le logiciel du lecteur avant de redémarrer l'ordinateur. Insérez votre carte mémoire dans le lecteur, puis connectez ce dernier à l'ordinateur en utilisant le bon port. Votre carte va apparaître sur l'écran. Après un double-clic, faites glisser les fichiers dans un dossier du disque dur. Une fois transférées, vos photos sont prêtes à être ouvertes et retouchées. Ne faites pas de double-clic sur l'icône d'une image pour l'ouvrir, car elle dépend alors d'une application de base qui vous permet seulement de visualiser le document, sans pouvoir y toucher. Une meilleure solution consiste à ouvrir le logiciel de retouche d'image, puis de faire **Fichier>Ouvrir**. Ouvrez le dossier contenant l'image, puis l'image. Après avoir ouvert votre document pour la première fois, sauvegardez-le au format TIFF.

PETITS PROBLÈMES DE TRANSFERT

SI LES IMAGES NE SONT PAS IMPORTÉES, vérifiez les points suivants :
- Le câble est-il connecté au bon port ?
- L'appareil photo est-il bien allumé ?
- L'appareil est-il bien sur le mode transfert ?
- La carte mémoire n'est-elle pas vide ?
- Si rien ne marche, faites redémarrer votre ordinateur sans débrancher l'appareil, et essayez à nouveau.

MODULE 03.1

LE SCANNER →
UTILISER UN SCANNER À PLAT

LE SCANNER À PLAT EST L'ÉLÉMENT DE VOTRE ÉQUIPEMENT DE BUREAU QUI
NUMÉRISE ILLUSTRATIONS ET PHOTOS. IL RESSEMBLE À UN PETIT PHOTOCOPIEUR
ET TRAVAILLE PAR TRADUCTION DE LA LUMIÈRE REFLÉTÉE EN PIXELS D'IMAGES.

Il existe trois types de scanners : à plat, pour film (négatifs, diapos) ou mixte. Comme les appareils photo numériques, les scanners utilisent des capteurs optiques appelés CCD, mais au lieu d'être disposés suivant un treillis rectangulaire, ils sont disposés en ligne. On trouve placée près du capteur une petite source lumineuse qui éclaire le sujet durant le scan. Pendant cette opération, chaque petite cellule photosensible produit un pixel unique dans l'image numérisée.

RÉSOLUTION

Le mot résolution est synonyme de qualité. Plus votre scanner a de capteurs, plus il pourra saisir de détails dans votre photographie originale. Plus nombreux seront les détails saisis, plus grandes pourront être les impressions. Lorsque vous achetez un scanner, sachez que la résolution est indiquée en points ou pixels par pouce (dot ou pixel per inch : dpi ou ppi). Certains scanners à plat atteignent 2 400 dpi, mais vous n'aurez jamais besoin d'une résolution aussi haute. En termes de rapport qualité-prix, le scanner à plat capture beaucoup plus de données que l'appareil photo numérique professionnel le plus cher. C'est l'option la plus économique et la plus appropriée pour les débutants.

PORTS

Comme les autres périphériques, le scanner est branché à votre ordinateur sur un port USB, SCSI, parallèle ou FireWire. Ces types de connexion indiquent la vitesse à laquelle les données seront transférées : le port parallèle est le plus lent, les ports SCSI et USB sont plus rapides et le port FireWire est encore meilleur.

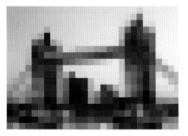
IMAGE SCANNÉE À 30 DPI

60 DPI

120 DPI

240 DPI

OPTIQUE ET INTERPOLATION

Pour compliquer la question, beaucoup de fabricants augmentent l'attrait de leurs produits en décrivant la résolution avec deux termes différents : l'optique et l'interpolation. La valeur donnée en optique est le seul indicateur fiable pour connaître la résolution du scanner. L'interpolation n'est qu'une autre manière de dire agrandissement, et indique de combien on peut agrandir une image grâce aux artifices du logiciel.

Le processus d'interpolation est simple : le scanner invente de nouveaux pixels autour des pixels originaux en se basant sur leurs couleurs. Mais à cause du grand nombre de pixels inventés, les scans interpolés ne sont jamais aussi précis que les scans optiques. Même si votre scanner travaille à 9 600 dpi, il ne vous donnera pas nécessairement les résultats correspondant à cette résolution.

CETTE IMAGE a été scannée à sa plus haute résolution optique de 600 dpi.

LA MÊME IMAGE a été scannée à 3 600 dpi interpolés pour une plus grande définition, mais le résultat n'est pas vraiment satisfaisant.

PROFONDEUR DE COULEUR

Les scanners sont aussi classés suivant le nombre de couleurs qu'ils peuvent détecter, comme la palette d'un peintre est composée par les couleurs qu'il utilise. Ces limitations sont mentionnées comme « profondeur de couleur », ou nombre de bits. Tous les scanners récents peuvent détecter une gamme d'au moins 16 millions de couleurs, parfois mentionnées comme une palette de 24 bits. Pour la détection de couleurs, beaucoup de scanners utilisent une super-palette de 42 bits qui détecte des milliards de couleurs différentes. Cependant, la plupart des logiciels et des imprimantes à jet d'encre ne travaillant qu'avec une palette de 24 bits, cela dépasse largement les besoins courants. Il est bien difficile de voir la différence entre un scan en 42 bits et un scan en 24 bits.

SCANNER À PLAT

SCANNER À PLAT

LES IMPÉRATIFS :
Résolution optique minimale 600 dpi
profondeur de couleur 24 bits ou plus

MODULE 03.2

LE SCANNER →

PILOTAGE DU SCANNER

COMME UN APPAREIL PHOTO, UN SCANNER « CAPTURE » DES IMAGES EN NOIR ET BLANC OU EN COULEURS ET PERMET DE CONTRÔLER LE CADRAGE, L'EXPOSITION ET LA MISE AU POINT.

UTILISATION DU SCANNER

On peut piloter un scanner de deux façons : avec un simple logiciel de pilotage, ou avec un plug-in (extension) d'un autre logiciel. Un logiciel de pilotage se contente de commander votre scanner. Les images doivent alors être enregistrées, puis ouvertes dans votre logiciel de retouche d'image pour être retravaillées.

LOGICIEL CLASSIQUE
DE PILOTAGE D'UN SCANNER

L'extension permet de piloter le scanner depuis votre logiciel de retouche d'image et le ferme automatiquement lorsque le scan est terminé, vous laissant tout loisir de travailler aussitôt sur votre image. Si le scanner est à commande externe, vous pouvez lancer le logiciel de pilotage en enfonçant le bouton sur le devant de l'appareil.

La plupart des logiciels de pilotage ont une extension Photoshop ou sont compatibles TWAIN (pour Toolkit Without An Interesting Name). TWAIN n'est autre qu'un protocole servant d'interface entre des logiciels graphiques comme Photoshop et des périphériques tels que scanners ou appareils photo numériques.

RECTANGLE DE SÉLECTION

Matérialisé par une ligne pointillée, cet outil permet de cadrer et de sélectionner l'image que l'on veut scanner. Cernez précisément la zone qui vous intéresse, vous éviterez ainsi de créer un fichier inutilement lourd.

RÉSOLUTION D'ENTRÉE Pas besoin de calculette pour effectuer ce réglage, ni de résolution maximale pour être plus sûr du résultat. Réglez sur 200 dpi si vous devez imprimer sur une imprimante à jet d'encre, et sur 72 dpi pour des fichiers à envoyer par e-mail ou à placer sur votre site web.

MODES D'ACQUISITION De même que l'on peut photographier avec différents types de films, les modes d'acquisition déterminent la manière dont l'image que l'on scanne sera enregistrée. Le mode RVB (rouge, vert, bleu) est un mode universel utilisé pour des originaux en couleurs – photos, peintures, pages de magazine ou autres. Pour des originaux monochromes tels que photos noir et blanc ou dessins au crayon, utilisez le mode Niveaux de gris. Enfin, si l'original est en noir et blanc pur, adoptez le mode Bitmap.

MODE RVB　　　　MODE NIVEAUX DE GRIS　　　　MODE BITMAP

L'AGRANDISSEMENT Pour agrandir ou réduire, la commande est la même que sur un photocopieur. À 100 %, l'image imprimée a la même taille que l'image originale. Si l'on agrandit de petits originaux, il faut se souvenir que cela entraîne une perte de précision. Mieux vaut scanner des originaux aussi grands que possible.

RÉGLAGES AUTOMATIQUES Si vous voulez soumettre votre image originale à différents réglages, sachez que certains sont automatiques. Mais votre préférence ira peut-être vers les options qui n'apportent que des changements minimes, car les réglages automatiques, en accentuant le contraste, font perdre des nuances et peuvent arbitrairement modifier des couleurs. Si le résultat est moins bon que l'original, recommencez. Le but étant de perdre le moins de détails possible.

LUMINOSITÉ ET CONTRASTE Si vous trouvez que votre image manque de contraste ou qu'elle est trop pâle, sachez que vous pourrez ajuster plus précisément votre travail quand vous aurez importé l'image dans le logiciel de retouche d'image.

CETTE IMAGE a été scannée sans utiliser de réglage automatique.

SCANNÉE UNE AUTRE FOIS avec contraste automatique, l'image voit ses couleurs changer et les contrastes s'accentuer.

RECONNAISSANCE DE CARACTÈRES Les scanners sont parfois livrés avec un logiciel de reconnaissance de caractères qui convertit un texte imprimé en caractères que l'on peut exploiter sur un logiciel de traitement de texte.

TAILLE DE FICHIER Elle indique la quantité de données que le scan va produire. Évitez les palettes de 42 bits qui alourdissent les fichiers. Le nombre de pixels constituant votre image conditionne directement la taille du fichier. Méfiez-vous donc des scans trop lourds, une légère augmentation de résolution de 200 à 300 dpi double la taille du fichier.

CETTE IMAGE DE 42 BITS génère un fichier de 12 Mo.

SI ON LA RAMÈNE À 24 BITS, le fichier ne pèse plus que 6 Mo.

MODULE 03.3

LE SCANNER → SCANNER PHOTOS ET ŒUVRES GRAPHIQUES

CHAQUE TYPE D'ORIGINAL EXIGE UN TRAITEMENT SPÉCIFIQUE, SI VOUS VOULEZ OBTENIR UN RÉSULTAT DE BONNE QUALITÉ.

Les logiciels de pilotage de scanners sont conçus pour traiter toutes sortes de documents originaux, mais cet aspect figure rarement dans les manuels d'utilisation. Quand on scanne, il faut avant tout :

- Acquérir et enregistrer suffisamment de pixels pour arriver au format d'impression voulu.
- Obtenir une qualité d'image au moins aussi bonne que celle de l'original et, en tout cas, jamais plus mauvaise.
- Avoir des fichiers légers et ne pas s'encombrer de pixels inutiles.

PHOTOGRAPHIES NOIR ET BLANC

MODE D'ACQUISITION Niveaux de gris.
RÉSOLUTION D'ENTRÉE DU SCANNER À PLAT 200 dpi pour une impression jet d'encre, 72 dpi pour e-mails et pages web.
RÉSOLUTION D'ENTRÉE DU SCANNER POUR FILM Utiliser la plus haute possible (2 400 dpi, par exemple).
FILTRES N'utiliser ni Renforcement ni Détramage.

RÉGLAGES AUTOMATIQUES Éviter les fonctions automatiques qui accentuent les contrastes.
CONTRASTE ET LUMINOSITÉ Vous obtiendrez une meilleure image en modifiant contraste et luminosité dans le logiciel de retouche d'image.
FORMATS D'ENREGISTREMENT TIFF pour une impression jet d'encre, et JPEG pour les e-mails et les pages web.

TRUCS ET ASTUCES

Évitez de scanner des imprimés dont le support est trop texturé : le relief apparaîtra sur le scan.

Si vous devez scanner de vieilles photos noir et blanc dont le support est un peu teinté, scannez-les comme des photos couleur.

BRUT DE SCAN

SCAN À FORT CONTRASTE

IMAGE FINALE : On a réglé contraste et luminosité.

PHOTOGRAPHIES COULEUR

MODE RVB.

RÉSOLUTION D'ENTRÉE DU SCANNER À PLAT 200 dpi pour une impression jet d'encre, 72 dpi pour e-mails et pages web.

RÉSOLUTION D'ENTRÉE DU SCANNER POUR FILM Utiliser la plus haute possible (2 400 dpi, par exemple).

FILTRES N'utiliser ni Renforcement ni Détramage.

RÉGLAGES AUTOMATIQUES Éviter les outils qui prétendent fournir une image adaptée à tel ou tel périphérique de sortie. Ils produisent souvent des déséquilibres de couleur qui sont irrattrapables par la suite.

FORMATS D'ENREGISTREMENT TIFF pour une impression jet d'encre, et JPEG pour les e-mails et les pages web.

CE SCAN PAUVRE EN COULEURS a été fait avec des réglages automatiques.

UNE MEILLEURE QUALITÉ peut être obtenue avec des réglages manuels.

TEXTES OU ILLUSTRATIONS AU TRAIT

MODE Bitmap.

RÉSOLUTION D'ENTRÉE 600 ou 1 200 dpi.

FILTRES Aucun.

CONTRASTE Utiliser la commande Seuil pour régler l' «exposition».

ENREGISTREMENT TIFF.

ILLUSTRATIONS PROVENANT DE SUPPORTS IMPRIMÉS

MODE RVB.

RÉSOLUTION D'ENTRÉE DU SCANNER À PLAT 200 dpi pour une impression jet d'encre, 72 dpi pour e-mails et pages web.

FILTRES Utiliser Détramage, ne pas utiliser Renforcement.

RÉGLAGES AUTOMATIQUES Éviter les fonctions qui accentuent le contraste.

FORMATS D'ENREGISTREMENT TIFF pour une impression jet d'encre, et JPEG pour les e-mails et les pages web.

GROS PLAN d'une image de magazine

LE FILTRE DÉTRAMAGE estompe les points de l'image par un effet de flou.

MODULE 03.4

LE SCANNER →

SCANNER DES OBJETS EN VOLUME

VOUS POUVEZ SCANNER DES OBJETS AVEC UN SCANNER À PLAT, POUR
STOCKER DES IMAGES QUE VOUS ENVISAGEZ D'UTILISER PLUS TARD.

Si vous voulez obtenir rapidement l'image numérique d'un objet, il vaut mieux
le scanner plutôt que de le prendre en photo. Tous les scanners à plat peuvent
reproduire une face d'un objet, et en général le résultat est satisfaisant. La
façon de procéder est simple et encore facilitée si vous pouvez enlever provi-
soirement le capot du scanner. La plupart des modèles offrent cette
possibilité qui permet de scanner les pages d'un livre sans démonter le livre.

PRÉPARER LE SCANNER

Éliminez toute trace de doigts avec un chiffon préimprégné pour
nettoyage des surfaces vitrées. Pour éviter de rayer la vitre, placez sous l'objet à scanner un feuille d'acétate de la meilleure
qualité. Vous l'enlèverez ultérieurement avant d'utiliser le scanner
pour reproduire du texte ou une image.

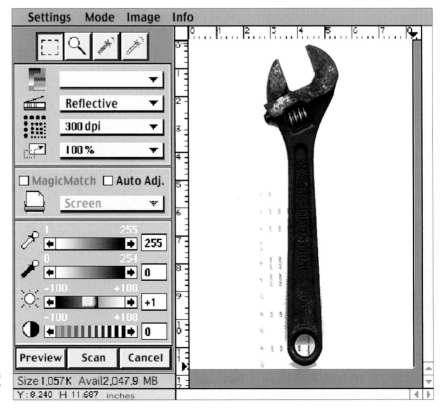

CHOISISSEZ LES MÊMES
réglages que pour scanner
une image en couleurs.

Le capteur peut « voir » environ 5 cm d'épaisseur d'un objet en volume, mais il faut masquer la lumière ambiante qui risque de fausser l' « exposition ». Placez l'objet sur la vitre et recouvrez-le d'une grande feuille de papier blanc de façon que cette dernière recouvre entièrement la vitre.

RÉGLAGES DU SCANNER
Mode d'acquisition RVB.
Résolution d'entrée 200 dpi pour impression jet d'encre, 72 dpi pour pages web.
Filtres Ne pas utiliser Renforcement.
Format d'enregistrement TIFF.

FEUILLE DE CACHE Si cette feuille dépasse suffisamment le format du scanner et qu'elle isole hermétiquement l'objet à scanner de la lumière ambiante, le gain en qualité de couleur et de contraste est spectaculaire.

SERVICE APRÈS-SCAN

Il faut quelques opérations supplémentaires pour réussir un scan en trois dimensions. Une fois le scan enregistré, effectuez dans cet ordre les opérations suivantes :

1. Agrandissez pour pouvoir détourer l'objet par une sélection précise.
2. Supprimez l'arrière-plan.
3. Corrigez les contrastes de l'objet avec Niveaux (voir pages 80–81).
4. Efforcez-vous de rétablir un bon équilibre des couleurs.

FONDS TRANSPARENTS

Pour intégrer des objets nouvellement détourés dans d'autres images déjà archivées, il faut que le fond reste en arrière-plan. Les bons logiciels permettent de composer une image en disposant ses éléments sur des calques. On a des « sélections flottantes » qui se déplacent au-dessus d'autres calques qui servent de fond. Si vous ne pouvez pas supprimer votre fond, modifiez-en la couleur pour accentuer le contraste entre lui et l'objet : une prochaine sélection n'en sera que plus facile.

L'OBJET DÉTOURÉ est prêt à être intégré dans un montage.

ASSOCIÉ à un fond crédible, cet outil semble posé sur un plan de travail alors qu'il a été intégré au montage.

MODULE 03.5

LE SCANNER → SCANNER DES FILMS ET FAIRE ENREGISTRER SES PHOTOS SUR CD

POUR FAIRE DES SCANS D'EXCELLENTE QUALITÉ À PARTIR DE VOS PHOTOS, ACHETEZ UN SCANNER POUR FILM SI VOTRE BUDGET VOUS LE PERMET. PAR AILLEURS, LA PLUPART DES LABORATOIRES PROPOSENT, AU MOMENT DU DÉVELOPPEMENT, UNE COPIE DES PHOTOS SUR CD.

Si vous avez beaucoup de négatifs et de diapositives, un scanner pour film peut être l'occasion de leur donner une seconde vie. Tous les scanners pour film sont conçus pour accepter les films 35 mm positifs, et les négatifs couleur et noir & blanc, certains acceptant en standard ou en option le format APS (Advanced Photo System). Lorsque vous scannez un négatif, le logiciel de pilotage transforme automatiquement le scan en positif.

Comparés aux scanners à plat, les scanners pour film numérisent en très haute résolution parce que la taille physique des originaux est très petite. Ils ont à extraire les pixels d'une petite surface de film, donc une résolution optique minimale de 2 400 dpi est indispensable. Les meilleurs scanners pour film peuvent extraire de 20 à 30 Mo de données ce qui permet de restituer un document au format A3.

SCANNER POUR FILM

LES IMPÉRATIFS :
Résolution optique minimale 2 400 dpi
Profondeur de couleur 36 bits
Dynamique de densité 3,00 ou plus

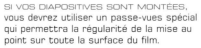

SI VOS DIAPOSITIVES SONT MONTÉES, vous devrez utiliser un passe-vues spécial qui permettra la régularité de la mise au point sur toute la surface du film.

CONNECTIQUE

Certains scanners pour film utilisent encore le vieil interface SCSI, la plupart se raccordent par un port USB, d'autres utilisent FireWire. Vérifiez à l'arrière de votre ordinateur que vous avez bien le port qui convient, sinon prévoyez un adaptateur. Lorsque vous avez établi la connexion, si votre ordinateur ne veut pas fonctionner, c'est qu'il y a un problème de compatibilité. Allez sur le site web du constructeur et téléchargez un driver compatible avec votre système.

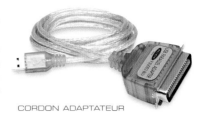

CORDON ADAPTATEUR

LOGICIELS

En plus des fonctions du logiciel de pilotage, certains modèles bénéficient de technologies de corrections d'image ICE (Image Correction and Enhancement). Ces dispositifs permettent au moment de l'acquisition d'éliminer les traces de poussière, ainsi que les rayures et de reconstituer les couleurs fanées.

PLUS VITE Scanner des films prend plus de temps qu'utiliser un scanner à plat, mais il existe un moyen d'aller plus vite. Même si la plupart des scanners travaillent à partir du logiciel de retouche d'image, il est plus rapide et moins coûteux en mémoire de faire travailler le scanner depuis son logiciel de pilotage. Après chaque scan, enregistrez l'image et fermez le fichier avant de le reprendre. Si votre film est en bon état, n'utilisez pas l'option ICE.

CETTE IMAGE A ÉTÉ scannée à partir d'une vieille diapositive.

UN AUTRE SCAN réalisé avec l'option ICE rehausse nettement les couleurs et élimine presque toute trace de poussière.

SERVICES COMMERCIAUX

Ne vous précipitez pas dans l'achat d'un scanner pour film, la plupart des laboratoires photographiques proposent de transférer vos photos sur CD pour un prix raisonnable lorsque vous leur confiez vos pellicules 35 mm ou APS.

Kodak, par exemple, propose deux types de services. Le moins cher : vos tirages papier ou vos diapositives vous sont livrés accompagnés d'un index et d'un CD. Les images sont enregistrées au format JPEG et le CD peut être lu sur Mac ou sur PC.

Un second service propose un CD sur lequel les images sont enregistrées sous le format Photo CD dont la résolution permet de faire des impressions de meilleure qualité et de plus grand format. Pour un résultat optimal, avant d'imprimer vos images, ouvrez-les dans une application comme Photoshop qui vous permettra d'améliorer le rendu en utilisant, par exemple, le filtre Accentuation (voir pages 70–71).

(voir pages 70–71)

ADRESSES INTERNET

FABRICANTS DE SCANNERS POUR FILM :
www.nikon.com
www.minolta.com
www.canon.com

PHOTOS NUMÉRISÉES
SUR CD KODAK

MODULE 04.1

LES LOGICIELS →
COMMANDES UNIVERSELLES ET OUTILS

IL EXISTE UNE GRANDE VARIÉTÉ DE LOGICIELS DISPONIBLES, MAIS LA PLUPART D'ENTRE EUX PARTAGENT DES OUTILS ET COMMANDES COMMUNS.

Il n'est pas indispensable d'acheter le logiciel le plus sophistiqué pour débuter et les logiciels fournis dans les « packages » ne sont pas sans intérêt. Beaucoup d'appareils numériques et de scanners sont vendus avec un logiciel comme Adobe PhotoDeluxe, Adobe Photoshop Elements ou MGI PhotoSuite. Bien qu'ils soient gratuits ou de faible prix, ils partagent tous des commandes et outils communs avec le logiciel le plus performant aujourd'hui, Adobe Photoshop.

LE RECTANGLE DE SÉLECTION permet de réaliser des sélections géométriques.

LA BAGUETTE MAGIQUE sélectionne les pixels de même valeur.

SÉLECTION

Sélectionner une partie d'une image numérique afin d'en modifier la couleur ou la tonalité, sans toucher à ce qui l'entoure, est plus complexe que de sélectionner un mot dans un logiciel de traitement de texte. Il existe différentes manières de procéder.

Les cadres de sélection sont simples à utiliser, il suffit de faire glisser le pointeur sur l'image pour délimiter une zone géométrique régulière. Pour les formes plus complexes, des outils comme le Lasso ou la Plume libre sont prévus pour délimiter manuellement le périmètre. Ces deux méthodes vous permettent d'isoler une zone de pixels. La baguette magique agit différemment, un peu comme un aimant qui attirerait les pixels de valeurs chromatiques identiques et les regrouperait dans une zone sélectionnée. C'est une bonne méthode quand il faut sélectionner une zone complexe mais de couleur unie, comme un ciel bleu dans un paysage de campagne.

COUPER ET MASQUER

Si vous désirez supprimer de grandes zones de vos photos, utilisez les outils destinés à couper et à gommer. N'oubliez pas que vous devrez ensuite remplacer ces éléments par d'autres détails cohérents. La gomme est un outil facile à employer, surtout pour effacer les bords d'une couche récemment affichée.

VOUS AVEZ LE CHOIX entre couper l'image et effacer le fond.

LES CALQUES

Les meilleures applications vous offrent la possibilité de répartir vos images sur des calques. À l'image d'un paquet de cartes, ces calques vous permettent d'assembler différents dessins, images et textes. Le calque supérieur recouvre les autres, mais vous pouvez toujours modifier la transparence de l'un d'eux ou utiliser différents modes de regroupement pour les combiner.

COPIER ET COLLER AVEC LE PRESSE-PAPIER

Si vous voulez prendre une partie d'une photo pour l'ajouter à une autre, vous devez commencer par copier la zone. Après l'avoir sélectionnée, faites **Édition>Copier** ; une copie de votre image sera enregistrée dans le presse-papier de votre ordinateur. Zone de stockage qui ne peut contenir qu'un document à la fois, le presse-papier est accessible à partir de toutes les applications et constitue une manière pratique de transférer des images ou autres documents entre les applications. Une fois la photo copiée, faites **Édition>Coller** pour importer l'image sur votre document.

UN PAYSAGE de grands espaces

... permet tous les collages.

PEINDRE ET RETOUCHER

Toutes les applications de retouche photographique possèdent des outils pour peindre et dessiner, aussi n'est-il pas nécessaire de faire l'acquisition d'un logiciel de dessin distinct. Vous disposez de différentes grosseurs de pinceaux et d'une palette contenant des millions de couleurs.

Il est très appréciable de pouvoir retoucher les défauts ou les détails non nécessaires d'une image en se servant des pixels existants pour peindre sur ce qui est à cacher.

LES FILTRES

Les filtres sont utilisés pour ajouter de la profondeur, des effets de texture et de couleur à votre travail. Les meilleurs disposent d'un système de contrôle pour juger du changement opéré.

UN OBJET à l'arrière-plan rencontre la tête du sujet.

LA GOMME peut être utilisée pour le supprimer.

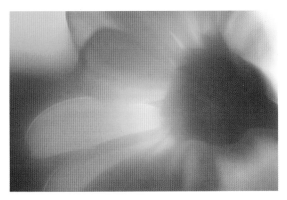

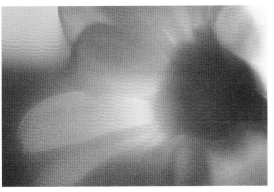

IMAGE D'ORIGINE

APRÈS APPLICATION D'UN FILTRE DE LA GAMME TEXTURES

MODULE 04.2

LES LOGICIELS →
DÉMOS ET PLUG-INS

LES RETOUCHES ET LES EFFETS QUE VOUS POUVEZ APPORTER À VOS IMAGES DÉPENDENT ESSENTIELLEMENT DU LOGICIEL QUE VOUS AVEZ INSTALLÉ SUR VOTRE ORDINATEUR.

Les principaux fabricants de logiciels permettent de charger des versions de démonstration de leurs produits à partir de leur site web. Si vous êtes connecté à l'internet et ne savez pas quelle application choisir et pour quel prix, cette solution semble intéressante. Certaines de ces « démos » sont des versions complètes, qui s'autodétruisent après 30 jours, d'autres ne fonctionnent que partiellement, vous permettant de travailler mais pas de sauvegarder ni d'imprimer.

EXTENSIS PHOTOFRAME 2.0

Ajouté à Photoshop ou Photoshop Elements, ce plug-in offre un choix de quelque 1 000 bords et effets de bordure différents. Livré avec des masques et des effets aquarelle, ce filtre permet de transformer une image sans intérêt en un rien de temps... Dans Photoshop, PhotoFrame a sa propre boîte de dialogue. Tous les effets de couleur, de transparence et de taille peuvent être modifiés à l'infini et, une fois le résultat désiré obtenu, il est sauvegardé sous forme de calques. PhotoFrame est utilisable sur Mac et sur PC. Pour télécharger une démo, tapez www.extensis.com.

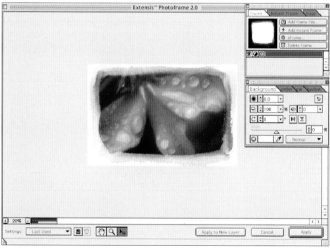

BOÎTE DE DIALOGUE DE PHOTOFRAME 2.0

L'IMAGE D'ORIGINE a un cadre rectangulaire.

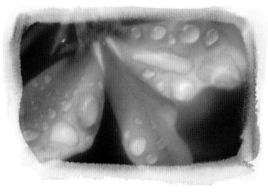

UN CADRE FAÇON AQUARELLE estompe les bords.

COREL KPT 6.0

La gamme de filtres la plus étendue pour venir compléter celle, déjà conséquente, de Photoshop, est produite par Corel. Les célèbres filtres KPT permettent d'obtenir des effets stupéfiants. Ils sont exploitables avec Photoshop, à partir de la version 4.0, et avec de nombreux logiciels « Corel-compatibles », comme Photo-Paint, CorelDraw ou encore Painter. Les filtres KPT s'utilisent sur Mac et PC.

CHERCHER DES PLUG-INS DE PHOTOSHOP SUR LE WEB

Le meilleur moyen d'enrichir vos applications de retouche d'image est d'utiliser un portail d'accès sur le net comme **www.download.com**. Toutes les démos et logiciels y sont listés par ordre d'utilisation préférentielle. Il vous suffit de taper **Filtres Photoshop**, puis **Go**.

ANDROMEDA

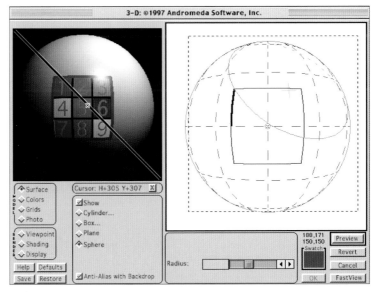

BOÎTE DE DIALOGUE D'ANDROMEDA 3.D

Pour donner l'illusion d'enrouler vos photos autour d'un objet en volume, les filtres 3-D d'Andromeda sont les outils dont vous avez besoin. Pourvus de réglages pour adapter l'image à des formes sphériques ou géométriques, ainsi que d'un dispositif destiné à produire un effet de lumière naturelle, ces filtres apportent une dimension supplémentaire à votre travail. Ils s'adaptent à toutes les versions de Photoshop, à partir de 3.0, et à PaintShop Pro. Vous pouvez télécharger une démo en tapant www.andromeda.com.

XENOFEX

Xenofex permet d'ajouter de la texture à vos images. Les filtres sont accessibles par le biais d'une boîte de dialogue qui permet de nombreux réglages afin de modifier les effets jusqu'au résultat souhaité. La version 1.0 propose 16 effets dont l'aspect froissé, obtenu par application du filtre Crumple. Vous pouvez télécharger une version démo en tapant www.xenofex.com.

IMAGE ACQUISE PAR UN SCANNER À PLAT

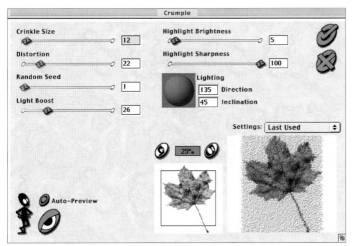

BOÎTE DE DIALOGUE MONTRANT LES RÉGLAGES DU FILTRE CRUMPLE

RELIEF DONNÉ PAR LE FILTRE CRUMPLE

MODULE 04.3

LES LOGICIELS →
MGI PHOTOSUITE

VENDU À PLUSIEURS MILLIONS D'EXEMPLAIRES, PHOTOSUITE EST L'UN DES MEILLEURS LOGICIELS DE BASE POUR LA PHOTO NUMÉRIQUE ET LE WEB.

FENÊTRE DE TRAVAIL DE PHOTOSUITE

POINTS CLÉS

COÛT :  Parfois fourni avec les appareils photo et les scanners

NIVEAU : Débutant

VERSIONS DÉMO : où les trouver ?
www.mgisoft.com
www.photosuite.com

Avec un affichage à l'écran qui le différencie de tous les autres logiciels de retouche d'image, PhotoSuite se présente à vous avec des touches de contrôle d'une grande simplicité. Contrairement à la plupart des logiciels, il ne possède pas de menus déroulants, qui déroutent parfois les débutants en informatique.

OUTILS

PhotoSuite vous offre plus que des outils de retouche. Avec des fonctions supplémentaires qui vous permettent d'organiser, de stocker, de classer vos photos, il vous aide également à retrouver vos fichiers sans problème. Les outils les plus fréquemment utilisés, pour rectifier l'effet « yeux rouges » ou pour retoucher une image passée ou abîmée, sont directement accessibles.

OUTILS POUR LE WEB Si vous voulez créer vos propres pages web sans passer par un document HTML (langage de description de documents hypertextuels), les outils de création et d'édition de pages web de PhotoSuite vous permettent d'appliquer une foule de gabarits à vos images, textes, animations, et de communiquer avec d'autres sites web.

ANIMATIONS Si vous souhaitez joindre des images à des documents ou bien échanger rapidement des graphiques, PhotoSuite peut enregistrer au format GIF et possède une fonction permettant de réaliser des diaporamas dans le but de les attacher à des e-mails.

PANORAMA La version la plus récente du logiciel vous permet de réunir jusqu'à 48 images numériques pour créer un panorama. Celui-ci peut être sauvegardé pour être ensuite utilisé sur une page web comme une vue panoramique prise avec un grand-angle.

COMPATIBILITÉ Utilisable uniquement sur PC (Windows 95, 98, ME, NT 4.0, 2000). Internet Explorer, indispensable pour tout projet web, est inclus.

CONFIGURATION
Configuration minimale requise pour charger cette application :
Processeur Pentium II, 32 Mo de RAM, carte vidéo SVGA, 800 x 600 de résolution, 200 Mo de mémoire libre sur le disque dur.

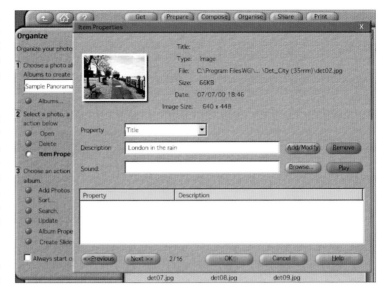

OUTIL DE RECHERCHE

FONCTION PANORAMA

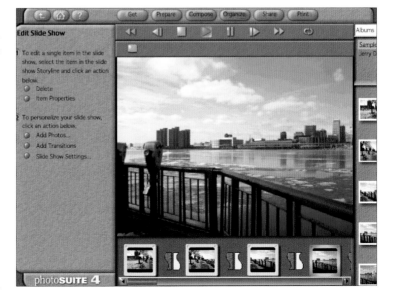

OPTION DIAPORAMA

MODULE 04.4

LES LOGICIELS →
ADOBE PHOTOSHOP ELEMENTS

LE DERNIER LOGICIEL PROPOSÉ PAR ADOBE EST LE TRÈS ABORDABLE,
MAIS TRÈS FONCTIONNEL, PHOTOSHOP ELEMENTS.

POINTS CLÉS

COÛT : Parfois fourni avec
les appareils photo et les scanners

NIVEAU : Débutant ou niveau moyen

VERSIONS DÉMO : où les trouver ?
www.adobe.com

Photoshop Elements vous apporte tout ce dont vous avez besoin
pour obtenir des impressions de qualité et réaliser des pages web.
Il partage beaucoup de commandes et d'outils avec Photoshop,
réservé aux professionnels (voir pages 46-47). Pour un quart du
prix de la version complète, il constitue le choix idéal pour les débutants qui souhaitent évoluer vers un logiciel plus complexe. Comme
la version 6.0 de Photoshop, Photoshop Elements utilise des
barres d'options d'un nouveau type, en haut de l'écran, dont le
contenu change quand vous choisissez un nouvel outil.

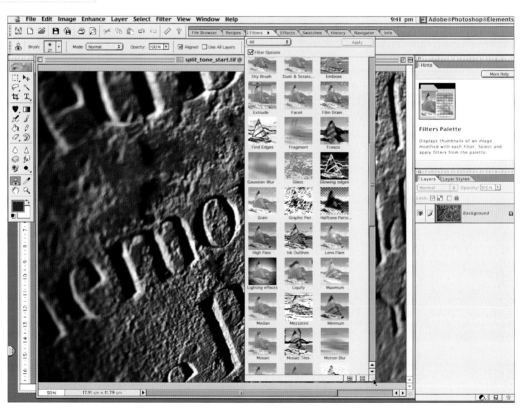

FENÊTRE DE TRAVAIL

OUTILS

Destiné aux débutants, Photoshop Elements dispose de certains
outils traditionnels, par exemple Niveaux et Calques, ainsi que la
palette Historique qui enregistre les étapes de votre travail. Sans

que sa présentation ressemble pour autant à un jeu vidéo pour enfant, la majorité des outils sont visibles sur le bureau, au lieu d'être cachés dans des menus déroulants. Pour une plus grande facilité d'utilisation, la palette d'aide, qui inclut des commentaires sur les fonctions et les outils choisis, peut être affichée en permanence.

Et contrairement à la version professionnelle, Photoshop Elements utilise une palette de filtres qui montre les effets obtenus au lieu de les décrire à l'aide de mots. Enfin, une palette vous indique tous les raccourcis nécessaires pour corriger les couleurs, éliminer la poussière et les rayures d'une photo, grâce à de simples instructions étape par étape.

BOÎTE DE
DIALOGUE ET
PALETTE D'AIDE

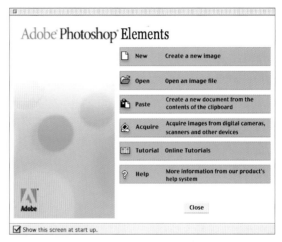

IMAGE D'ORIGINE

YEUX ROUGES CORRIGÉS

OUTILS POUR LE WEB Photoshop Elements partage beaucoup de commandes automatisées permettant de gagner du temps avec Photoshop, comme Planche contact II, Collection d'images et Galerie Web Photo, et tolère l'adjonction de filtres supplémentaires, comme PhotoFrame. Pour les utilisateurs souhaitant afficher des photos sur le web, un outil d'animation permet de créer des documents au format GIF, et la sauvegarde au format JPEG permet de visualiser le résultat de la compression.

COMPATIBILITÉ Compatible avec Mac OS à partir de la version 8.6 et avec Windows 98, 2000, NT 4.0 et ME.

CONFIGURATION La configuration requise est la même que pour Photoshop : processeur Pentium (PC), processeur PowerPC (Mac), 64 Mo de RAM, 125 Mo de mémoire libre sur le disque dur, 800 x 600 de résolution, lecteur de CD-Rom.

IMAGE D'ORIGINE

IMAGE ENCADRÉE

MODULE 04.5

LES LOGICIELS →
ADOBE PHOTOSHOP

ADOBE PHOTOSHOP CONSTITUE L'APPLICATION DE CRÉATION GRAPHIQUE
LA PLUS SOPHISTIQUÉE QUE L'ON PUISSE ACHETER.

Si vous voulez entreprendre une carrière de graphiste, d'éditeur ou
de professionnel du multimédia, Adobe Photoshop est l'outil indispensable de votre profession. Il fonctionne sur Mac et sur PC, et
peut lire et sauvegarder tous les types de formats de fichiers et
d'images. En ce qui concerne la photo numérique, il offre la panoplie
complète de tous les dispositifs, effets et astuces photo jamais
inventés – tous réunis au même endroit. Le seul inconvénient pour
l'utilisateur novice est le vocabulaire utilisé par ce logiciel – souvent
peu familier – employé pour décrire les techniques et procédés de
la photo traditionnelle.

BOÎTE À
OUTILS

FENÊTRE DE
TRAVAIL

OUTILS

Conçu pour des professionnels ayant des formations différentes –
imprimeurs, graphistes, photographes –, Photoshop possède beaucoup d'outils qui remplissent exactement la même tâche. Le plus
utile d'entre eux est la palette Historique qui peut être configurée
pour annuler jusqu'à 100 commandes, permettant ainsi d'éviter
qu'une erreur de manipulation entraîne une catastrophe.

Les images peuvent être créées par couches, afin de séparer les éléments de votre travail et de les protéger les uns des autres. Photoshop offre des outils complexes pour définir les couleurs, les nuances et la netteté des images. Si vous envisagez de répéter une manipulation sur un travail ultérieur, vous pouvez sauvegarder ou enregistrer les couleurs, les filtres ou les nuances utilisés.

Malgré la complexité du programme, il existe de nombreux raccourcis pour définir les couleurs, effectuer les photomontages ou choisir les filtres. Parmi les outils les plus précis et les plus délicats, citons la Plume qui permet de faire des coupes d'une grande finesse, la commande Courbes qui aide à pousser le contraste dans des zones précises et le mode Bichromie qui facilite l'introduction de subtiles nuances chromatiques dans vos images.

PLUG-INS De nombreuses fonctions accessoires peuvent être ajoutées à Photoshop pour créer une application sur mesure. Il existe des centaines de sites online pour vous aider ou partager des techniques et des astuces.

OUTILS POUR LE WEB Photoshop possède une commande très utile : Galerie Web Photo qui vous permet de créer un site web à partir de vos images numériques.

COMPATIBILITÉ Compatible avec Mac OS, 8.5, 8.6, 9.0, X, et avec Windows 98, 2000, NT 4.0.

CONFIGURATION Processeur Pentium (Windows PC), processeur PowerPC (Mac), 64 Mo de RAM, 125 Mo de libres sur le disque dur, résolution de 800 x 600 et lecteur de CD-Rom.

LES OUTILS DE PHOTOSHOP facilitent les montages complexes.

PALETTE HISTORIQUE

MODULE 04.6

LES LOGICIELS →
JASC PAINTSHOP PRO 7

PAINTSHOP PRO 7, UTILISABLE UNIQUEMENT SUR PC, OFFRE UNE LARGE GAMME DE FONCTIONS PERMETTANT À UN UTILISATEUR DE COMPÉTENCE MOYENNE D'OBTENIR DES RÉSULTATS DE QUALITÉ PROFESSIONNELLE.

FENÊTRE DE TRAVAIL

POINTS CLÉS

COÛT :

NIVEAU : Débutant ou moyen

VERSIONS DÉMO : où les trouver ?
www.jasc.com

Bien qu'il soit conçu pour les petits budgets, PaintShop Pro partage beaucoup d'outils avec Photoshop, les Calques, la commande Niveaux pour corriger le contraste et la palette Historique. Sa septième version est bien conçue, bénéficiant de la longue expérience du fabricant.

OUTILS

Dénué des fonctions supplémentaires de PhotoSuite, PaintShop Pro s'adresse aux photographes numériques de compétence moyenne. Il est équipé de tous les outils nécessaires pour dessiner, peindre et corriger les erreurs simples de prise de vue, comme les « yeux rouges » ou les rayures. Il offre également une quantité impressionnante d'outils sophistiqués pour modifier les tons et les couleurs.

PaintShop Pro est un excellent outil pour débuter et comprend assez d'éléments pour vous suffire un bon moment. Avec des fonctions supplémentaires pour créer des animations, des logos et vos propres pages web, c'est un logiciel facile à utiliser et qui ne devrait pas vous poser de gros problèmes techniques.

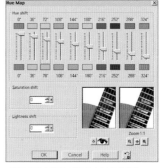

CORRECTION DES NUANCES

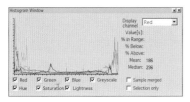

HISTOGRAMME

CORRECTION DES COULEURS

CORRECTION DES YEUX ROUGES

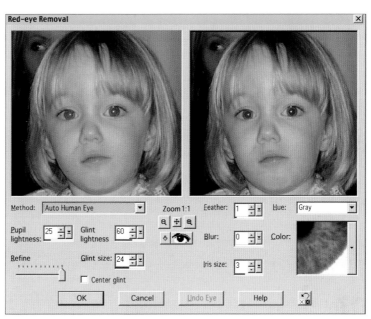

OUTILS DE RETOUCHE Ils permettent de résoudre les problèmes les plus courants : la poussière et les rayures, les yeux rouges, le manque de contraste, le bruit. Des outils d'une grande précision permettent de régler la saturation des couleurs, leur équilibre et le contraste. PaintShop Pro peut ouvrir et lire près de 50 formats de fichiers différents, parmi lesquels ceux de PhotoShop. Pour cette seule raison, cela vaudrait la peine de l'acquérir.

OUTILS POUR LE WEB Pour les utilisateurs désireux de créer des images sur le web, PaintShop Pro offre des outils à la fois simples et sophistiqués afin de créer des animations, des cartes, de couper et de compresser des images.

COMPATIBILITÉ Fonctionne sur PC avec Windows 95, 98, 200 et NT 4.0.

CONFIGURATION Un processeur de 500 MHz, 128 Mo de RAM, résolution de 1 024 x 768.

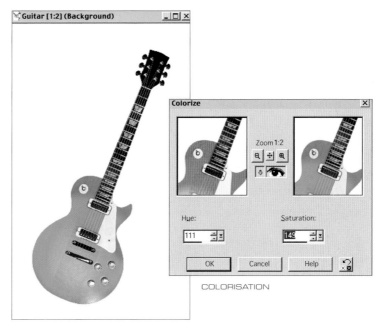

COLORISATION

LA **PHOTOGRAPHIE**

MODULE 05.1

LA PRISE DE VUE →
TECHNIQUES DE BASE

AVANT DE PENSER À RETOUCHER VOS PHOTOS SUR UN ORDINATEUR, COMMENCEZ PAR ACQUÉRIR LES BONNES TECHNIQUES DE PRISES DE VUE. PLUTÔT QU'UN ÉQUIPEMENT COÛTEUX, UNE BONNE PRÉPARATION EST LA CLÉ DE LA RÉUSSITE.

TOUJOURS PRÊT

Les meilleurs photographes du monde continuent à faire des photos magnifiques parce qu'ils ont le talent de savoir prendre des photos au bon moment. Pour ne pas louper une bonne occasion, ayez toujours votre appareil allumé, avec le flash mis en route et l'index prêt à appuyer sur le déclencheur. Vous pouvez porter confortablement votre appareil sur l'épaule, jusqu'à ce que le moment se présente, et tout ce que vous aurez alors à faire est de cadrer et d'appuyer sur le déclencheur.

COMMENT TENIR VOTRE APPAREIL PHOTO

Si vous ne tenez pas correctement votre appareil photo, vous aurez souvent des images floues et risquerez de poser les doigts sur l'objectif. Les appareils numériques sont petits et délicats à utiliser, et il peut être difficile de s'y retrouver dans les menus et les fonctions, mais cela devient plus aisé avec la pratique. La meilleure façon de tenir votre appareil, c'est d'abord de l'avoir bien en main, puis d'ajuster sa position entre vos doigts. Sentez les emplacements prévus pour le pouce et les autres doigts. Vous n'avez pas besoin de serrer trop fort le boîtier, mais attention, si vous déplacez les doigts, vous risquez de toucher l'objectif.

Tous les appareils compacts vous obligent à cadrer votre photo à travers un écran d'affichage à cristaux liquides ou un viseur optique, mais seul l'écran vous montre ce qui est vu à travers l'objectif. Une fois que vous avez l'appareil en main, placez la paume d'une main et les doigts de l'autre sous le boîtier. Et pour éviter toute secousse, collez vos coudes contre votre corps.

UN BON ÉCLAIRAGE

LUMIÈRE NATURELLE DOUCE

ENSOLEILLEMENT VERTICAL

Dans tous les types de photos, la lumière naturelle est une variable tout à fait incontrôlable. Les photos ont toujours un plus bel aspect si elles sont prises avec une lumière du jour assez douce. C'est l'éclairage idéal pour obtenir des couleurs fidèles et un maximum de détails. Par mauvais temps ou temps couvert, les couleurs obtenues sont ternes et les détails pauvres. Un ensoleillement vertical supprime les ombres et donne un contraste excessif. Suivant le type de lumière sous lequel elles ont été prises, des photos d'un même sujet peuvent paraître très différentes.

ORIENTATION DE LA LUMIÈRE

Quand vous faites des photos, ayez toujours la lumière derrière vous. Cela signifie que vous devrez peut-être vous déplacer ou placer votre sujet autrement pour être sûr de ne pas vous trouver face au soleil. Si trop de lumière directe passe à travers l'objectif, votre photo sera voilée par un halo, comme s'il y avait eu une explosion, et il sera difficile de corriger ce défaut à l'ordinateur.

LE PHOTOGRAPHE était face au soleil au moment de la prise de vue.

AVEC LE SOLEIL DANS LE DOS, on obtient de meilleurs résultats.

PRENDRE SOIN DE SON APPAREIL

Un nettoyage méticuleux de votre appareil photo peut suffire à améliorer la qualité de vos clichés. Avec le temps et un usage fréquent, l'objectif des appareils porte des traces de doigts et attire la poussière. Un objectif sale a une influence négative sur la qualité des images, conférant à vos photos un faible contraste et des couleurs ternes. La poussière et les poils font obstacle à la lumière, entachant vos clichés de petites zones floues... La règle d'or est que l'objectif doit rester protégé par son capuchon quand vous n'utilisez pas votre appareil et qu'il ne faut l'essuyer qu'avec un chiffon antistatique.

UN OBJECTIF PROPRE permet de mieux reproduire les couleurs vives.

UN OBJECTIF SALE donne un faible contraste et des photos sans relief.

MODULE 05.2

LA PRISE DE VUE →
VITESSE D'OBTURATION ET OUVERTURE

L'EXPOSITION IDÉALE RÉSULTE DE LA BONNE COMBINAISON DE DEUX RÉGLAGES DE L'APPAREIL : LA VITESSE D'OBTURATION ET L'OUVERTURE. IL EST POSSIBLE DE JOUER SUR CES PARAMÈTRES À DES FINS CRÉATIVES.

MODES PROGRAMME

Tous les appareils numériques ont des fonctions supplémentaires appelées modes programme. Ce sont des réglages programmés pour prendre des photos dans des conditions particulières – gros plan, nuit, sports, portrait, contre-jour. Le mode programme pour chacune de ces circonstances correspond à une combinaison appropriée de la vitesse d'obturation et de l'ouverture.

FONCTIONS AUTOMATIQUES

La plupart des appareils numériques ont deux modes programme de base : la priorité à l'ouverture et la priorité à la vitesse d'obturation. La priorité à l'ouverture vous permet de sélectionner vous-même le réglage de l'ouverture, l'appareil déterminant la vitesse d'obturation nécessaire pour donner une exposition équilibrée. La priorité à la vitesse d'obturation vous laisse le choix d'une vitesse rapide ou lente pour obtenir un instantané ou une image floue, tandis que l'appareil règle l'ouverture. Les photographes plus expérimentés préfèrent souvent des appareils aux réglages entièrement manuels.

OUVERTURE

L'ouverture est un trou rond de taille variable situé à l'intérieur de l'objectif de l'appareil photo. Elle règle la quantité de lumière qui passe à travers le capteur. Les ouvertures sont indiquées par un nombre précédé de la lettre « f » – comme focale. Il s'agit d'une échelle standard comprenant f.2,8, f.4, f.5,6, f.8, f.11, f.16.

À une extrémité de l'échelle, f.16 correspond à la plus petite des ouvertures, utilisée pour créer une grande profondeur de champ. À l'autre extrémité, f.2,8 est la plus grande ouverture, la profondeur de champ étant alors limitée. En passant d'une ouverture à l'autre, on divise par deux ou on double la quantité de lumière.

VITESSE D'OBTURATION

La plupart des appareils numériques sont dotés d'un obturateur mécanique, semblable à un mince rideau noir, qui s'ouvre et se ferme à des vitesses variables pour laisser la lumière atteindre le capteur. Jouer sur la vitesse permet de produire des effets différents. Des vitesses lentes, au moins 1/15 de seconde, rendront flous les objets en mouvement, alors que des vitesses rapides, telles que 1/125 de

UNE VITESSE D'OBTURATION LENTE, comme 1/2 seconde, donne une impression de mouvement.

PROFONDEUR DE CHAMP

La profondeur de champ est la plage de mise au point dans laquelle les éléments les plus proches et les plus lointains de votre photo sont nets. Elle se règle en sélectionnant l'ouverture correspondant à l'effet désiré. Un portrait réalisé avec une faible profondeur de champ donne l'impression que le sujet est plus proche qu'il ne l'est en réalité. Un paysage photographié avec une grande profondeur de champ permet de voir un panorama avec tous ses détails.

AVEC UNE GRANDE OUVERTURE, ici f.4, seuls les yeux du sujet sont nets.

UNE PETITE OUVERTURE, ici f.16, donne une grande netteté du premier plan jusqu'au plan le plus éloigné.

seconde, figeront un être humain. Des vitesses très rapides, comme 1/1 000 de seconde, immobiliseront même des sujets se déplaçant extrêmement vite comme les voitures de course. Les vitesses d'obturation sont mesurées sur une échelle universelle : 1, 1/2, 1/4, 1/8, 1/15, 1/30, 1/60, 1/125, 1/250, 1/500 jusqu'à 1/1 000 de seconde. Chacune est le double de la précédente.

UNE VITESSE D'OBTURATION RAPIDE, comme 1/125 de seconde, donne l'effet d'un arrêt sur image.

L'OBTURATEUR réglé sur B (pause) est ouvert durant deux minutes.

MODULE 05.3

LA PRISE DE VUE →
EFFETS D'OBJECTIF

LES OBJECTIFS PERMETTENT NON SEULEMENT DE FAIRE UNE BONNE MISE AU POINT, MAIS ÉGALEMENT DE CRÉER TOUTES SORTES D'EFFETS.

LA MISE AU POINT

UN TÉLÉOBJECTIF rapproche les sujets.

UN OBJECTIF GRAND-ANGLE éloigne les sujets.

UN OBJECTIF MACRO vous permet de prendre des photos de très près.

Tous les objectifs ont une distance minimale de mise au point déterminée qui ne vous permet pas d'avoir une image nette en deçà de cette distance. Si vous ne connaissez pas cette donnée, ne vous placez jamais à moins d'un mètre de votre sujet. Si vous voulez vous rapprocher, restez à votre place et zoomez plutôt que de faire un gros plan avec un grand-angle.

FOCALE FIXE Les appareils numériques sont équipés soit d'un objectif à focale fixe, soit d'un zoom. Si votre appareil a un objectif à focale fixe, vous devez vous éloigner suffisamment de votre sujet pour pouvoir le cadrer en entier. Ce type d'objectif, que l'on trouve sur les modèles les moins chers, convient très bien pour les photos de vacances ou de famille.

LE ZOOM Le zoom est un objectif triple : grand-angle, standard et téléobjectif. La position grand-angle permet d'inclure davantage de choses dans le viseur, en « éloignant » la scène de vous. Elle sert surtout pour les intérieurs ou dans les espaces exigus. Un zoom réglé sur sa

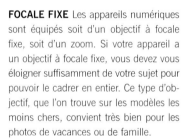

UNE FOCALE FIXE correspond en général à l'angle de champ moyen couramment utilisé.

RÉALISER DES VUES PANORAMIQUES

Si vous voulez prendre une série de photos pour constituer un panorama sur 360°, évitez d'utiliser les objectifs super grand-angle. Quand vous mettrez les photos bout à bout, les lignes droites étant devenues courbes, il vous sera impossible de les raccorder. Pour obtenir un meilleur résultat, réglez votre zoom sur sa position moyenne ou sur le téléobjectif.

position moyenne vous donne une vision semblable à celle de l'œil humain, ce qui convient très bien pour la plupart des scènes d'extérieur. Dans sa position la plus étirée, parfois appelée téléobjectif, le zoom rapproche les sujets sans avoir besoin de s'en approcher. C'est particulièrement utile pour les animaux et l'architecture. Les objectifs macro vous permettent de photographier de très près de petites choses.

MISE AU POINT La plupart des objectifs des appareils numériques font la mise au point automatiquement. Pour éviter que l'appareil ne fasse un mauvais choix dans son réglage, vous devrez le guider. Si vous réalisez un portrait, faites la mise au point sur l'œil le moins éloigné, non sur le nez ou sur la partie du sujet la plus proche de vous.

CHANGEMENT D'OBJECTIF

Seuls les reflex haut de gamme vous permettent de changer d'objectif, mais la majorité des compacts peuvent recevoir un complément optique qui se visse sur l'objectif pour le transformer en grand-angle ou en téléobjectif.

MISE AU POINT SÉLECTIVE

MISE AU POINT SÉLECTIVE En réglant l'ouverture sur f.4, pour obtenir une faible profondeur de champ, vous pouvez privilégier une partie de l'image. Incluez un premier plan et faites la mise au point sur un élément plus éloigné, vous créerez ainsi un flou artistique, procédé très utilisé dans les photos de mode et la publicité.

MISE AU POINT SÉLECTIVE
AVEC UNE PETITE OUVERTURE

DISTORSIONS

Les objectifs extrêmes, fish-eyes et téléobjectifs peuvent produire de curieuses déformations.

LE GRAND-ANGLE Les objectifs à très grand angle de champ, les « fish-eyes », donnent des images circulaires qui courbent les lignes horizontales et verticales. Le grand-angle est peu flatteur pour les portraits en gros plan car les traits du visage peuvent être exagérés et déformés. Comme le grand-angle crée des effets de perspectives insolites, les édifices élevés, photographiés depuis le niveau du sol, donnent l'impression de se terminer en pointe.

LE TÉLÉOBJECTIF En réduisant l'angle de champ, les zooms rapprochent les sujets éloignés mais, comme ils font apparaître sur le même plan les éléments proches et lointains, on évalue mal à quelle distance les choses sont placées les unes par rapport aux autres.

DÉFORMATION
DU GRAND-ANGLE

DÉFORMATION
DU TÉLÉOBJECTIF

MODULE 05.4

LA PRISE DE VUE →
POINT DE VUE ET COMPOSITION

MÊME L'APPAREIL LE PLUS CHER NE VOUS GARANTIRAIT PAS DE REMPORTER UN PRIX À CHAQUE FOIS. EN DÉFINITIVE, LES TRÈS BELLES PHOTOS VIENDRONT DE VOTRE FACULTÉ À VOUS IMAGINER ÊTRE L'ÉVENTUEL LAURÉAT.

VUE AÉRIENNE

LE POINT DE VUE

Les adultes voient le monde du haut de leur 1,70 m de moyenne, mais cela ne signifie pas que nous devons tous prendre nos photos de la même hauteur. Vous pouvez simuler la vision d'un enfant en vous agenouillant ; vous aurez alors l'impression d'être tout petit devant les grands immeubles, et les adultes sembleront être des géants. Vous pouvez obtenir une contre-plongée en vous allongeant sur le sol ; c'est une façon de rendre encore plus spectaculaires les gros nuages d'un paysage tout à fait naturel. En vous plaçant en hauteur, vous donnerez l'impression que toutes les choses sont minuscules et insignifiantes... La position adoptée pour prendre une photo est appelée point de vue ; celui-ci détermine grandement les formes, la perspective et la composition.

CONTRE-PLONGÉE

SE SERVIR DES LIGNES

Nous vivons dans un monde de lignes droites, horizontales ou verticales. Repérez les lignes et autres éléments qui relient le premier plan au plan médian, puis à l'arrière-plan et sachez les utiliser pour diriger le regard vers le sujet principal de votre image.

Ce sont les lignes diagonales et les traits particuliers de certaines photographies qui en constituent tout l'intérêt. Vous pouvez facilement transformer un sujet banal en une image sensationnelle, juste en inclinant et en mettant de biais votre appareil. Repérez les lignes droites, puis servez-vous de la position de votre propre corps pour les placer dans les angles opposés de votre viseur optique.

Vous pouvez aussi vous servir des diagonales pour symboliser un mouvement ou une activité, en particulier si la photographie a été inclinée pour qu'un côté paraisse plus « lourd » que l'autre. C'est une astuce visuelle pour faire croire que les choses sont en pente.

LES LIGNES peuvent constituer l'élément attractif de votre photo.

SYMÉTRIE ET ASYMÉTRIE

Pour obtenir une belle composition, il faut que tous les éléments de l'image figurant dans le viseur soient disposés de manière harmonieuse et équilibrée. Pendant des siècles, les peintres ont utilisé la symétrie parfaite, dans laquelle l'image peut être divisée en au moins deux parties identiques. En fait, la composition dépend surtout de ce que vous décidez de laisser en dehors du viseur optique.

COMPOSITION ASYMÉTRIQUE

COMPOSITION SYMÉTRIQUE

AJOUTEZ DE L'INTÉRÊT

Ce n'est pas parce que votre appareil donne des images rectangulaires que vous ne pouvez pas les recadrer dans un carré, voire en vue panoramique. Les formats inhabituels attirent toujours l'attention.

Un environnement magnifique ou somptueux n'est pas nécessaire pour obtenir de belles photographies. En jouant simplement sur deux éléments simples, la lumière et l'ombre, vous pouvez réaliser une image captivante.

VUE PANORAMIQUE

CLAIR-OBSCUR

LES DIAGONALES donnent de l'intensité à l'image.

MODULE 05.5

LA PRISE DE VUE →
UTILISATION DU FLASH

LE FLASH PERMET DE FAIRE DE BELLES PHOTOS DANS DE MAUVAISES CONDITIONS D'ÉCLAIRAGE, MAIS IL PEUT S'AVÉRER GÊNANT SI VOUS NE SAVEZ PAS COMMENT IL AGIT.

LES AVANTAGES DU FLASH

Indispensable quand il fait sombre, le flash fait également ressortir les couleurs. Que vous soyez dans une maison ou à l'extérieur, il permet de reproduire les choses rapprochées avec des couleurs plus vives et met en valeur davantage de détails. Avec son éclair lumineux de moins de 1/1 000 de seconde, il fige aussi un mouvement.

FLASH INTÉGRÉ OU ADDITIONNEL

La plupart des appareils numériques possèdent un flash intégré, mais ils n'ont pas tous la même puissance. Aucun d'eux n'a d'effet sur un sujet distant de plus de 5 m. Pour éclairer une pièce entière ou un sujet plus éloigné, il vous faut brancher un flash plus puissant sur le porte-flash de l'appareil (s'il en a un). Un flash intégré ne peut éclairer une scène ou un paysage, mais seulement des choses de la taille d'une personne.

Les meilleurs appareils compacts sont équipés d'une griffe porte-flash sur laquelle on peut fixer un flash additionnel. Si vous faites cette acquisition, achetez un flash de la même marque que votre appareil car ils sont prévus pour fonctionner ensemble. Vous pouvez néanmoins utiliser un flash d'une autre marque, mais il ne sera pas compatible avec toutes les fonctions de votre appareil.

LE FLASH supprime les ombres et arrête le mouvement.

PUISSANCE DU FLASH

La puissance d'un flash est indiquée par son nombre-guide (NG). C'est la mesure de la plus grande distance (en mètres) que le flash peut éclairer, multipliée par l'ouverture courante pour une sensibilité ISO donnée. Par exemple, un flash avec un nombre-guide de 40 (100 ISO) éclairera un objet distant de 10 mètres si l'objectif est réglé sur f.4 (10 x 4 = 40). Les flashs puissants ont un nombre-guide plus grand.

OÙ ET QUAND UTILISER LE FLASH

À L'INTÉRIEUR

■ Quand la lumière est trop faible pour que votre appareil photo se déclenche.
■ Quand il y a une fenêtre lumineuse à l'arrière-plan.
■ Quand vous ne voulez pas que votre image prenne des teintes orange ou vertes du fait de l'éclairage intérieur artificiel.

À L'EXTÉRIEUR

■ La nuit.
■ En fin de journée, lorsqu'il y a trop de zones d'ombre sur un visage.

LE « FILL-IN » OU ÉCLAIRAGE MIXTE

ACCROCHEZ LA LUMIÈRE dans les yeux de vos sujets.

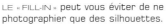

LE « FILL-IN » peut vous éviter de ne photographier que des silhouettes.

Lorsqu'il y a une lumière très vive derrière le sujet au point qu'on ne voit plus que sa silhouette en ombre chinoise, on peut utiliser la technique du « fill-in » pour éclairer suffisamment les zones d'ombre. De même pour limiter l'effet peu flatteur des fortes ombres au niveau des yeux ; le flash ne remplace pas la lumière du jour existante, mais il l'enrichit. Particulièrement utile pour mettre dans les yeux d'un personnage un petit point blanc accrocheur, le « fill-in » donne de la vie à un portrait.

LES ERREURS À ÉVITER

Le flash est un outil très utile pour prendre des photographies lorsque la lumière est faible, mais il faut en connaître les limites pour éviter d'être déçu. Le flash se règle en fait de lui-même. Après l'éclair initial, la lumière du flash se reflète sur la première chose qu'elle frappe, puis se scinde. Ce processus se produisant en une fraction de seconde, vous ne pouvez pas vous en rendre compte. Mais, si quelque chose s'interpose entre vous et votre sujet, et bloque le passage de la lumière du flash, les photographies seront ratées. Quelle qu'en soit la taille, tout obstacle empêchera votre flash d'atteindre correctement le bon sujet.

UN OBJET A RÉFLÉCHI L'ÉCLAIR DU FLASH, le reste de l'image est dans l'ombre.

TRUCS ET ASTUCES

FILTRES POUR FLASH

■ Pour atténuer les lignes noires des ombres, placez sur le flash un petit bout de papier translucide que vous fixerez avec du ruban adhésif transparent. Très utile pour réaliser des portraits, ce diffuseur réduira légèrement la puissance de votre flash, mais donnera des images plus estompées et plus flatteuses.

■ La lumière du flash est toujours incolore ou légèrement bleutée, mais on peut facilement modifier cela avec des filtres que l'on fabriquera avec de la Cellophane légèrement colorée ou des papiers d'emballage. Les filtres orange, rouges ou violets colorent les sujets, en particulier ceux de couleur blanche ou claire.

MODULE 05.6

LA PRISE DE VUE →
PROBLÈMES COURANTS

LES MANUELS D'UTILISATION DES APPAREILS PHOTO DONNENT PEU D'INDICATIONS PERMETTANT D'ÉVITER LES MAUVAISES SURPRISES. VOICI COMMENT REMÉDIER AUX ERREURS LES PLUS FRÉQUENTES.

LES YEUX ROUGES

C'est un problème courant avec les flashs intégrés, dont l'éclair se produit très près de l'objectif. La lumière traverse la pupille et éclaire le fond de l'œil riche en vaisseaux sanguins. Il y a trois façons d'éviter ce phénomène :

- En utilisant le mode réduction des yeux rouges si votre appareil photo en est équipé. La technique généralement employée consiste à envoyer un éclair de faible puissance pour que les pupilles de votre sujet se rétrécissent, avant que l'éclair principal ne se déclenche.
- Placez-vous sur le côté, et demandez à la personne que vous photographiez de ne pas regarder l'appareil photo en face.
- Placez votre sujet près d'une source de lumière vive, une lampe posée sur une table, par exemple, pour limiter la dilatation de ses pupilles.

YEUX ROUGES

L'AUTOFOCUS ET SES PROBLÈMES

ERREUR DE MISE AU POINT
AUTOMATIQUE

Avec un autofocus, pas besoin d'avoir des yeux de lynx pour faire des photos nettes. L'appareil règle automatiquement la mise au point au centre du viseur optique, par comparaison de contraste. Cela fonctionne parfaitement pour les sujets placés au centre du viseur, mais cela se complique, lorsque le centre du cadre est positionné en avant ou en arrière du sujet principal, car la mise au point est alors réglée sur un objet plus proche ou plus éloigné.

La plupart des appareils numériques permettent de faire une première mise au point sur un sujet qui n'est pas au centre en appuyant à moitié sur le déclencheur avant de recadrer et de prendre la photo.

L'autofocus nécessite des sujets bien contrastés ; il gère mal les murs blancs ou les décors peu contrastés. Si votre appareil « tâtonne » pour faire la mise au point, faites une première mise au point sur le bord d'un objet placé à la même distance que votre sujet. Malheureusement, la plupart des appareils numériques ont un petit écran à cristaux liquides (LCD) qui fait paraître nette une image qui ne l'est pas.

PROBLÈMES LIÉS À L'EXPOSITION

TROP DE LUMIÈRE, surexposition

EXPOSITION CORRECTE

PAS ASSEZ DE LUMIÈRE, sous-exposition

À l'intérieur d'un appareil numérique, il existe un dispositif pour mesurer la quantité de lumière, c'est le posemètre. Celui-ci réagit à ce qu'il y a de plus lumineux dans votre viseur, quelles que soient sa position, sa couleur ou sa taille. Les posemètres sont conçus pour éviter la prédominance d'une source de lumière. Toutefois, aucun n'est infaillible. Il y a surexposition lorsque trop de lumière atteint le capteur, ce qui donne des images pâles. Il y a sous-exposition quand trop peu de lumière atteint le capteur, ce qui donne des images sombres.

Si vous oubliez que l'appareil photo ne connaît pas le sujet principal, les résultats seront médiocres. Même une petite ampoule électrique qui n'occupe qu'une infime partie de votre composition peut agir sur le posemètre. Pour résoudre ce problème, recadrez votre photographie, afin d'exclure cet élément, ou utilisez un flash.

À plus grande échelle, le problème est le même à l'extérieur, le ciel est en général beaucoup plus clair que la terre, ce qui fait que tous les éléments situés au niveau du sol paraîtront sombres. Pour régler l'exposition, recadrez l'image afin d'exclure les zones claires, puis revenez au cadrage initial pour prendre la photo.

QUAND LE BLANC DOMINE, les autres couleurs paraissent plus sombres.

CHANGEZ DE CADRAGE pour régler l'exposition, le résultat sera bien meilleur.

MODULE 06.1

LA RETOUCHE D'IMAGE →
LES OUTILS

ON RETOUCHE UNE PHOTO ESSENTIELLEMENT POUR L'AMÉLIORER. QUELQUES OUTILS SIMPLES PERMETTENT DE CORRIGER LES ERREURS LES PLUS COURANTES COMMISES LORS DE LA PRISE DE VUE.

L'OUTIL RECADRAGE

Vous l'utiliserez pour recadrer vos photographies. La plupart des appareils, qu'ils soient numériques ou argentiques, enregistrent une image un peu plus large que celle que vous aviez eu l'intention de saisir. Sauf sur les modèles les plus chers, le viseur de l'appareil photo ne vous permet pas de distinguer clairement les bords de l'image et il est conçu pour montrer un peu moins plutôt que trop. Il est pourtant décevant, lorsque vous affichez une photo sur un moniteur, de trouver des éléments inattendus dans votre composition.

Lorsque vous photographiez avec un appareil numérique, vous n'avez guère de chance d'obtenir un cadrage d'une précision parfaite grâce à votre viseur. Une meilleure méthode consiste à prendre du recul par rapport à la scène soit en utilisant un zoom ou un objectif grand-angle, soit en vous éloignant physiquement du sujet. L'outil Recadrage vous permettra ensuite de recomposer votre image en sélectionnant avec précision la zone à conserver. Tout ce qui se trouve en dehors de cette zone sera supprimé. Vous pouvez également utiliser cet outil pour modifier la forme de votre photo.

UNE IMAGE MAL CADRÉE PRÉSENTE PEU D'INTÉRÊT.

UN CADRAGE PLUS SERRÉ L'AMÉLIORE.

Recadrer et redimensionner >
voir pages 66-67

L'OUTIL TAMPON

Une photographie peut être gâchée par un élément inattendu : reflet de la lumière sur l'objectif, yeux rouges, peau abîmée ou détails incongrus à l'arrière-plan. À l'aide de l'outil Tampon de Photoshop (ou de la Gomme sélective de PaintShop Pro), vous pouvez copier des pixels provenant d'autres parties de votre image afin de les coller dans la zone que vous souhaitez modifier. En d'autres termes, plutôt que de recouvrir les éléments indésirables avec de la couleur, vous copiez des détails existants sur l'image pour estomper les défauts. Le résultat est en général très satisfaisant.

LES ÉLÉMENTS INDÉSIRABLES sont facilement éliminés...

... grâce à l'outil Tampon.

OUTILS POUR AMÉLIORER LE CONTRASTE

Le mot contraste désigne la quantité relative de blancs et de noirs profonds dans votre photo. Les images peu contrastées sont faites entièrement de différentes teintes de gris, sans blancs et noirs purs. À l'opposé, les images très contrastées contiennent peu de gris, mais des blancs et noirs forts. Vous pouvez améliorer le contraste à l'aide de différentes commandes du sous-menu Réglages : Niveaux, Luminosité/Contraste, sans oublier la commande Courbes, qui est plus complexe. Bien que vous puissiez aussi contrôler le contraste dans la boîte de dialogue de l'imprimante, il vaut toujours mieux le faire dans le logiciel de retouche d'image.

Couleur et contraste >
voir pages 68-69

PHOTO PEU CONTRASTÉE

CONTRASTE RETOUCHÉ

FILTRES DE RENFORCEMENT

Netteté > voir pages 70-71

Les images floues n'ont pas de contours bien définis, le manque de netteté étant responsable d'une perte de contraste au niveau des contours des différentes formes présentes sur l'image. Tous les logiciels possèdent des outils pour corriger ce problème. Les filtres destinés à renforcer les contours d'une image restaurent la netteté en augmentant le contraste entre les pixels voisins. L'outil le plus précis est le filtre Accentuation (sous-menu Renforcement) qui intervient au moyen de trois réglages.

SANS FILTRE

AVEC FILTRE DE RENFORCEMENT

MODULE 06.2

LA RETOUCHE D'IMAGE →
RECADRER ET REDIMENSIONNER

L'UN DES PLUS GRANDS PHOTOGRAPHES DU MONDE, HENRI CARTIER-BRESSON, S'ENORGUEILLIT DE SON TALENT À VISUALISER LE RÉSULTAT EXACT D'UNE PHOTO AVANT D'APPUYER SUR LE DÉCLENCHEUR. LES SIMPLES MORTELS QUE NOUS SOMMES DOIVENT TOUJOURS RECADRER.

RECADRAGE

CADRAGE SERRÉ à l'aide d'un téléobjectif.

Les photos vous permettent de transmettre des messages, des idées et des sensations à d'autres personnes. Les meilleurs photographes sont ceux qui ont une approche directe et sans ambiguïté du sujet, ne laissant aucun doute sur leurs intentions. C'est donc à vous de focaliser l'attention sur les composantes les plus importantes de l'image, en utilisant tous les outils à votre disposition.

RENTRER DANS UN FORMAT Si le but du recadrage est de se conformer à une dimension préétablie d'illustration, vous pouvez régler l'outil Recadrage au format souhaité. Enregistrez le format maximal et laissez l'outil faire le travail. Vous pouvez également redimensionner la zone sélectionnée en maintenant la touche majuscule enfoncée et en faisant glisser l'une des poignées d'angle.

AMÉLIORER LA COMPOSITION Utilisé pour apporter une certaine symétrie ou supprimer des zones sans intérêt, l'outil Recadrage peut améliorer efficacement vos images. Il est parfois difficile de choisir le bon cadrage lors de la prise de vue, surtout lorsque le sujet ne s'y prête pas spontanément. Le recadrage vous permet d'y remédier en vous offrant la possibilité de supprimer les détails dépourvus d'intérêt.

PARFOIS, CERTAINES PHOTOS DE PAYSAGE gagnent à être recadrées au format portrait.

RÉÉCHANTILLONNAGE

En réduisant la taille de l'image, le recadrage élimine des pixels et des données informatiques. Il est ensuite possible d'agrandir à nouveau l'image, comme on le ferait avec un photocopieur, mais elle risque d'être moins nette. Les photos très agrandies sont floues lorsqu'on les imprime ; en revanche, un léger agrandissement ne permet pas de déceler une grande différence de qualité.

UNE PHOTO RECADRÉE et trop agrandie perd en netteté.

AJOUTER DES PIXELS Si vous coupez une partie de votre image, elle sera plus petite à l'impression. Lorsque vous effectuez un recadrage assez important et supprimez une zone substantielle de pixels, il peut être nécessaire d'en réimporter un certain nombre pour obtenir une photo de taille décente. Les nouveaux pixels sont créés grâce à un processus dénommé rééchantillonnage. Choisissez **Image>Taille de l'image** et assurez-vous que les cases Conserver les proportions et Rééchantillonnage (en bas à gauche) sont cochées. Puis allez dans la partie Taille du document et entrez les dimensions de l'image.

SUPPRIMER DES PIXELS La plupart des appareils numériques vous permettent d'obtenir des photographies en différentes résolutions – 1 800 x 1 200 (haute résolution) ou 640 x 480 (basse résolution). Si vous avez une image en haute résolution que vous voulez afficher sur une page web, vous avez besoin de réduire cette résolution car elle serait trop lourde pour que la photo puisse être vue sans ascenseur de défilement. Choisissez **Image>Taille de l'image** et assurez-vous que les cases Conserver les proportions et Rééchantillonnage (en bas à gauche) sont cochées. Allez ensuite dans la partie Taille du document, puis réduisez la résolution. Ce processus permet de supprimer des pixels dans l'ensemble du document, sans recadrer.

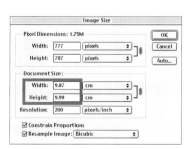

BOÎTE DE DIALOGUE Taille de l'image

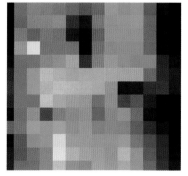

AVANT la suppression de pixels

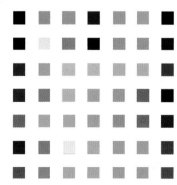

APRÈS la suppression de pixels

MODULE 06.3

LA RETOUCHE D'IMAGE →
COULEUR ET CONTRASTE

LES APPAREILS NUMÉRIQUES PRODUISENT PAR DÉFAUT DES IMAGES PEU CONTRASTÉES, MAIS VOUS POUVEZ FACILEMENT RAVIVER UNE PHOTO UN PEU TERNE GRÂCE À DES OUTILS SIMPLES.

POURQUOI DES RÉSULTATS SI TERNES ?

Tous les appareils numériques possèdent un filtre anti-alias placé entre l'objectif et le capteur d'images. Il a pour but d'estomper la lumière afin d'obtenir un résultat plus doux. Ce système est nécessaire car les pixels sont de forme carrée et ils délimitent la bordure des courbes « en escalier ». Le filtre adoucit les lignes, donnant ainsi un contraste plus fluide entre les pixels. L'inconvénient de ce procédé réside dans un faible contraste, assorti de couleurs désaturées (ternes). Ces deux facteurs présentent toutefois l'avantage de faciliter la compression, ce qui permet de stocker davantage d'images dans la mémoire de l'appareil.

AVANT RÉGLAGE DU CONTRASTE

APRÈS RÉGLAGE DU CONTRASTE

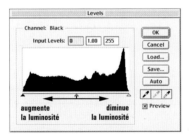

LA BOÎTE DE DIALOGUE NIVEAUX est la meilleure commande pour régler la luminosité d'une image.

RESTAURER LE CONTRASTE La meilleure façon d'améliorer le contraste est d'agir sur la commande Niveaux. Elle vous semblera peut-être complexe et très scientifique, mais elle est très facile à utiliser une fois que l'on en a compris le principe.

La boîte de dialogue de cette commande permet trois réglages différents : les valeurs de blanc à droite, de gris au centre et de noir à l'extrême gauche. Faites glisser votre curseur des tons gris vers la gauche pour éclaircir l'image, ou vers la droite si vous désirez l'assombrir. La commande Contraste automatique peut effectuer le même travail, mais ne vous donnera pas toujours le résultat souhaité. Si vous allez trop loin, faites **Édition>Annuler**.

AVANT RÉGLAGE DES NIVEAUX

APRÈS

RESTAURER LES COULEURS Les appareils numériques peuvent produire des images aux couleurs fades, mais cela se corrige facilement en utilisant la commande Teinte/Saturation qui vous permet d'augmenter le niveau de saturation en ajoutant des valeurs positives ou de le diminuer en ajoutant des valeurs négatives. Si vous réglez la saturation à son niveau le plus bas, votre image manquera totalement de couleur.

Cette boîte de dialogue vous permet de travailler sur toutes les couleurs à la fois, ce qui peut être utile pour les débutants. Pour travailler sur une couleur précise, cliquez sur le menu des couleurs et affichez la teinte désirée. Par exemple, en choisissant le bleu, vous pouvez augmenter la saturation d'un ciel trop pâle sans toucher aux autres couleurs.

FAIBLE SATURATION DES COULEURS

COULEURS SATURÉES

BOÎTE DE DIALOGUE TEINTE/SATURATION

COULEURS FAIBLEMENT SATURÉES

COULEURS TROP SATURÉES

VÉRIFIER L'INTENSITÉ Il est facile de pousser les couleurs à leurs limites maximales sur l'écran, mais souvenez-vous que le moniteur d'un ordinateur est capable d'afficher des couleurs beaucoup plus saturées que ne pourra jamais en produire une imprimante. Les moniteurs créent des images en rouge, vert et bleu, alors que les imprimantes utilisent du cyan, du magenta, du jaune et, parfois, du noir. Les logiciels professionnels comme Photoshop possèdent des outils spéciaux pour visualiser les véritables couleurs avant d'imprimer et identifier les teintes qui doivent être atténuées.

MODIFIER LA BALANCE DES COULEURS Les couleurs ne sont pas toujours telles que vous le souhaiteriez en raison de la présence d'une source de lumière artificielle ou de filtres naturels comme la voûte d'une forêt. Utilisez la commande Variantes ou Balance des couleurs pour éliminer une couleur gênante ou pour réchauffer une image trop pâle.

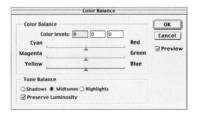

BOÎTE DE DIALOGUE BALANCE DES COULEURS

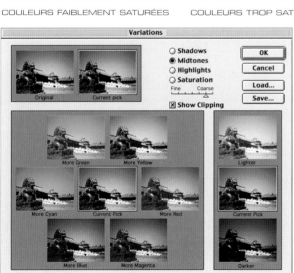

BOÎTE DE DIALOGUE VARIANTES

MODULE 06.4

LA RETOUCHE D'IMAGE →
AMÉLIORER LA NETTETÉ

LES PHOTOGRAPHIES NUMÉRIQUES DOIVENT PRATIQUEMENT TOUJOURS ÊTRE RETOUCHÉES CAR LEUR NETTETÉ N'EST PAS IRRÉPROCHABLE. ELLES MANQUENT GÉNÉRALEMENT DE CLARTÉ ET DE PROFONDEUR.

Appareils numériques et scanners ont des filtres automatiques, souvent activés par défaut. Il est cependant préférable de prendre la photo et de la scanner avec tous les filtres désactivés, et d'utiliser ensuite les outils du logiciel de retouche d'image. Vous avez ainsi la possibilité de revenir à la version originale, alors que les options préréglées lors de l'acquisition de l'image ne permettent pas de revenir en arrière.

Le filtre Accentuation (sous-menu Renforcement) constitue le meilleur outil pour améliorer la netteté d'une image.

UTILISER LE FILTRE ACCENTUATION

La boîte de dialogue du filtre Accentuation permet d'intervenir sur trois valeurs : gain, rayon et seuil.

Le gain (G) définit dans quelle mesure le contraste des pixels doit augmenter. Le rayon (R) détermine le nombre de pixels entourant les contours de l'image. Enfin, le seuil (S) indique le niveau de luminosité à prendre en considération entre pixels voisins avant l'application du filtre. Chaque image doit être traitée en fonction de ses spécificités, mais, comme point de départ, essayez la combinaison suivante :

- Gain : 100
- Rayon : 1,0
- Seuil : 1,0

LE FILTRE ACCENTUATION est à utiliser avec précaution, mais il donne d'excellents résultats.

IMAGE NON RETOUCHÉE

G : 100 – R : 1,0 – S : 1,0

LES IMAGES COMPRESSÉES AU FORMAT JPEG...   ... PEUVENT DIFFICILEMENT DEVENIR PLUS NETTES.

PHOTO CD KODAK Toutes les images scannées par Kodak et enregistrées au format Photo CD ont besoin d'être retouchées. Kodak a mis au point un système de compression astucieux pour stocker des images haute résolution sous un petit format, mais c'est au détriment de la netteté. Pour un meilleur résultat, appliquez le filtre Accentuation avant d'imprimer vos photos.

FORMAT JPEG Les images au format JPEG trop compressées perdent beaucoup en qualité. Pour essayer d'améliorer leur netteté, appliquez le filtre **Bruit> Antipoussière** avant de les retoucher.

LE BRUIT Les photos qui ont été prises avec un indice de sensibilité élevé, comme 800 ou 1 600 ISO, contiennent de nombreux pixels de couleur aléatoire nommés « bruit ». De couleur rouge vif ou verte, ces pixels deviendront plus visibles lorsque vous améliorerez la netteté. Pour éviter cela, appliquez le filtre Bruit avant d'intervenir sur la netteté.

REVENIR EN ARRIÈRE

Les images trop nettes ont des bords très contrastés et donnent une impression de relief indésirable. Souvenez-vous que vous ne retouchez vos photos que dans le but d'obtenir la meilleure qualité d'impression possible. Vous pouvez aller dans la palette Historique pour retracer les étapes de votre travail. Vous pouvez également dupliquer une couche pour travailler dessus plutôt que sur l'original.

G : 100
R : 3
S : 1

G : 150 - R : 6 - S : 1

LES PHOTOS PRISES AVEC
UN INDICE DE SENSIBILITÉ ÉLEVÉ...

... RÉAGISSENT TRÈS MAL AUX FILTRES DE RENFORCEMENT **et sont difficiles à retoucher.**

MODULE 07.1

LE TRAVAIL SUR LA COULEUR →
LES OUTILS

LA PHOTOGRAPHIE NUMÉRIQUE PERMET D'UTILISER TOUTE UNE GAMME DE TECHNIQUES POUR RETOUCHER LES COULEURS D'UNE IMAGE, UNE À UNE OU DANS UNE ZONE SÉLECTIONNÉE.

LES OUTILS DE DESSIN

La méthode la plus évidente pour introduire de la couleur dans une image numérique est d'utiliser l'un des outils de dessin. Mais, c'est la plus difficile. Les pinceaux existent dans toutes les tailles et toutes les formes, avec des contours flous ou nets ; vous pouvez même en fabriquer un sur mesure pour une tâche particulière. Pinceau, Aérographe et Crayon sont des outils par ailleurs familiers au graphiste. D'autres, comme l'Éponge, ne sont pas utilisés pour introduire des couleurs, mais pour les rehausser ou intervenir sur le contraste.

IL PEUT ÊTRE DIFFICILE de rehausser une seule couleur...

... l'Éponge est dans ce cas un outil très utile.

LE SÉLECTEUR DE COULEUR ET LA PIPETTE

Dessiner avec la souris est relativement facile ; sélectionner la bonne couleur peut se révéler plus ardu. Toutes les applications de retouche d'image possèdent une palette dans laquelle vous pouvez choisir la teinte que vous allez appliquer, mais il faut savoir que les meilleurs résultats sont obtenus en sélectionnant des couleurs présentes dans l'image à l'aide de la Pipette. Utiliser les couleurs de la photo sur laquelle vous travaillez vous permettra de mieux fondre la retouche dans la zone qui l'entoure et de la rendre moins visible.

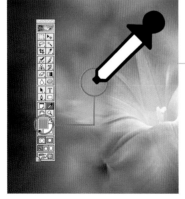

LA PIPETTE permet de sélectionner une couleur présente dans l'image pour effectuer une retouche.

LA COULEUR PEUT AUSSI être choisie dans le Sélecteur de couleur.

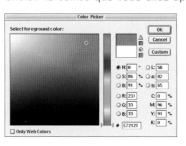

OPACITÉ ET PRESSION

LA COULEUR DES PÉTALES a été rehaussée avec un pinceau de faible opacité.

UNE FORTE OPACITÉ donne un résultat moins réussi.

Les outils de dessin peuvent être réglés en opacité ou en pression. Tout comme vous ajoutez de l'eau dans une peinture, les plus faibles valeurs d'opacité vous permettent d'appliquer une couleur plus claire et plus délavée sur votre image. Cela vous offre ainsi la possibilité de construire graduellement une teinte, couche par couche. Le réglage de la pression équivaut à la pression physique que vous imprimez à un crayon dans le monde réel : une forte pression donne une couleur franche, une pression plus douce un ton plus estompé.

MISE EN COULEUR D'UNE SÉLECTION

Si vous n'avez pas confiance dans vos capacités picturales, vous pouvez colorer des zones sélectionnées. De la même manière que vous utilisez de l'adhésif de masquage ou un pochoir, cette technique limite votre champ d'action et protège les autres parties de l'image. Vous pouvez utiliser tous les outils de sélection pour créer une zone fermée à colorer. L'outil Pot de peinture et la commande Remplir vous permettent comme leurs noms l'indiquent de peindre la zone sélectionnée, tandis que l'outil Dégradé vous aide à établir une transition entre deux teintes différentes. Vous pouvez également aller dans Balance des couleurs et déplacer les curseurs du cyan au rouge, du magenta au vert et du jaune au bleu.

MODES DE FUSION

La façon la plus imprévisible, mais aussi la plus intéressante, de créer des couleurs est d'utiliser les modes de fusion. Tous les outils de dessin sont réglés par défaut sur Normal. Si vous utilisez une des multiples options du menu Mode, les nouvelles couleurs vont avoir une sorte de réaction chimique avec les précédentes. Vous pouvez aussi appliquer les modes de fusion aux calques.

AUTRES LOGICIELS

PAINTSHOP PRO possède la même gamme de pinceaux, d'outils de mise en couleur et de contrôles de l'opacité. Essayez le pinceau de retouche pour les petites zones.

MGI PHOTOSUITE possède une gamme de pinceaux qui vaut la peine d'être essayée.

SÉLECTIONNEZ LES FORMES GÉOMÉTRIQUES avant la mise en couleur.

LA NOUVELLE COULEUR a été appliquée avec la commande Remplir.

MODULE 07.2

LE TRAVAIL SUR LA COULEUR →
CHANGER LES COULEURS – TON SÉPIA

OPÉRER UNE MODIFICATION D'ENSEMBLE DES COULEURS D'UNE IMAGE, C'EST COMME PLONGER UN TIRAGE PHOTOGRAPHIQUE DANS UN BAC OU TEINDRE UN TISSU. QUATRE EXEMPLES VOUS MONTRENT COMMENT Y PARVENIR.

« RÉCHAUFFER » LES COULEURS

Prises avec une mauvaise lumière naturelle ou à cause du flash, certaines photos ont une forte dominante bleue et paraissent froides. Psychologiquement, elles sont moins agréables à regarder que des images aux tons plus chauds. En photographie traditionnelle, un filtre orange peut être utilisé pour remplacer la lumière du soleil. En photo numérique, vous pouvez confier ce travail à votre ordinateur, sans avoir besoin d'acheter un nouveau gadget.

TRUCS ET ASTUCES

CONTRÔLER LES MODIFICATIONS
Lorsque vous réchauffez les couleurs d'une image, gardez un œil sur les zones de couleurs neutres de votre photo, comme la peau ou les gris moyens. Les modifications excessives de teintes sont plus évidentes dans ces parties de l'image.

1 Ouvrez la boîte de dialogue de la Balance des couleurs et faites-la glisser hors de votre photo pour pouvoir juger des effets de vos modifications.

2 Augmentez doucement les valeurs de jaune et de rouge jusqu'à ce que votre photo s'améliore. N'augmentez pas ces valeurs de plus de 20 points.

POINT DE DÉPART

PASSER DE LA COULEUR AU NOIR ET BLANC OU ATTÉNUER LES COULEURS

Les images en couleurs sont créées en mode RVB (rouge, vert, bleu), suivant le même principe que sur une pellicule couleur.

1 Si vous voulez convertir le rouge, le vert et le bleu en noir et blanc, changez de mode dans Niveaux de gris. C'est d'une grande simplicité.

2 Pour atténuer les couleurs de votre photo, réduisez la valeur figurant dans la case Saturation de la boîte de dialogue Teinte/Saturation.

DOMINANTE BLEUE

Jouez sur les curseurs de la boîte de dialogue Balance des couleurs.

1 Supprimez les couleurs dans Niveaux de gris, puis revenez au mode RVB. Vous obtenez une image monochrome dans un espace couleur RVB.

2 Ouvrez la boîte de dialogue Balance des couleurs et introduisez de nouvelles couleurs en augmentant les valeurs du bleu et du cyan. Commencez par les valeurs moyennes, puis ajoutez des valeurs plus élevées.

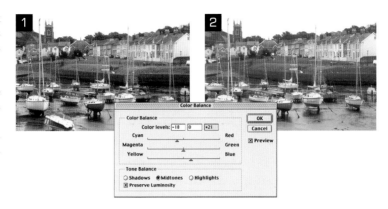

TON SÉPIA

Il existe différentes manières d'ajouter un ton uni à une image, mais la plus simple est d'utiliser la commande Redéfinir de la boîte de dialogue Teinte/Saturation, sans avoir besoin de convertir le mode RVB.

1 Faites toutes vos corrections de contraste et de luminosité à l'aide de la boîte de dialogue Niveaux, de façon à bien distinguer les ombres et les zones en demi-teinte.

2 Sélectionnez la boîte de dialogue Teinte/Saturation et cliquez sur Redéfinir. Cela transformera aussitôt votre photo en image monochrome.

3 Déplacez le curseur Teinte pour sélectionner la couleur sépia, puis le curseur Saturation pour définir son intensité. Les faibles saturations produisent les effets les plus subtils et les plus délicats.

AUTRES LOGICIELS

PAINTSHOP PRO possède les mêmes boîtes de dialogue Teinte/Saturation et Balance des couleurs.

MGI PHOTOSUITE propose des filtres Touch-up et l'outil Sepia Flood.

TRUCS ET ASTUCES

LA SATURATION
Il est facile de changer radicalement les couleurs, mais n'augmentez pas trop la saturation de votre nouvelle image. Les imprimantes à jet d'encre impriment des couleurs aussi intenses que celles que vous voyez sur votre moniteur. Ne dépassez pas le niveau de saturation + 50.

MODULE 07.3

LE TRAVAIL SUR LA COULEUR →
MISE EN COULEUR MANUELLE

AVEC L'AÉROGRAPHE ET GRÂCE À UN CHOIX JUDICIEUX DE COULEURS, DONNEZ À UNE PHOTO NOIR ET BLANC UN AIR DÉSUET DE PHOTO COLORISÉE.

Difficulté > 3/5 (moyenne)
Temps > 1 heure

Comment scanner > voir page 32

POINT DE DÉPART

Choisissez un portrait de famille en noir et blanc, de préférence avec de grandes zones à colorer. Plutôt que d'appliquer une teinte unique, nous avons utilisé des teintes différentes dans les diverses zones de l'image pour donner à ce portrait un air année 1950.

1 Scannez le portrait en mode RVB. Ôtez toutes les taches à l'aide de l'outil Tampon et restaurez le contraste dans la boîte de dialogue Niveaux. Supprimez toutes les couleurs dans Niveaux de gris, puis revenez au mode RVB.

2 Sélectionnez l'Aérographe et choisIssez une forme à bords flous. (C'est le choix le mieux adapté à ce genre de travail car les teintes doivent se fondre et des bords nets ne donneraient pas l'effet escompté.) Sélectionnez le mode de fusion Couleur, cela vous permettra de peindre sur votre image sans effacer les détails sous-jacents, comme si vous peigniez avec une encre à retoucher sur un tirage papier. Réglez l'option Pression sur une valeur basse (10 % ou moins). Si vous utilisez un pinceau, l'option est intitulée Opacité.

TRUCS ET ASTUCES

CHOISIR LES COULEURS
Tous les logiciels vous permettent de choisir et modifier vos couleurs au moyen de différentes palettes. La plupart des imprimantes à jet d'encre sont conçues pour produire des images créées en RVB et donnent de mauvais résultats lorsqu'elles impriment à partir de palettes utilisant les gammes Pantone ou CMJN.

MODE DE FUSION TEINTE
Notez qu'en utilisant le mode de fusion Teinte, vous introduisez des couleurs uniquement dans les zones déjà teintées, non dans celles qui sont grises.

MODE DE FUSION COULEUR
Quand le mode de fusion est activé sur Couleur, n'espérez pas que les différentes couleurs se mélangent quand vous les superposerez. Elles s'annulent les unes les autres.

3 Choisissez votre couleur dans la palette Couleur ou dans le Nuancier. Vous pouvez aussi créer votre propre palette qui vous permet de sélectionner des couleurs que vous enregistrez pour un usage ultérieur. Une palette limitée donnera ici davantage de cohérence au choix des teintes de ce portrait rappelant les photos colorisées des années 1950.

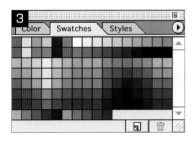

4 Commencez par les zones les plus étendues pour vous rendre compte de la manière dont les couleurs s'appliquent, et utilisez l'Aérographe (Arrondi flou 200 pixels). Vous remarquerez que la peinture ne se dépose que sur les pixels de tons moyens, affectant peu les zones très lumineuses et les zones d'ombre. Ne vous inquiétez pas si vous passez sur une zone avec la mauvaise couleur, il vous suffira de la recouvrir par la couleur souhaitée.

5 Si vous n'êtes pas certain de vos talents, créez un nouveau calque et travaillez dessus. Lorsque vous aurez terminé la mise en couleur, vous pourrez utiliser l'outil Gomme pour effacer vos erreurs éventuelles, tout en laissant le calque d'origine intact. Cette utilisation des calques donne plus de liberté aux débutants.

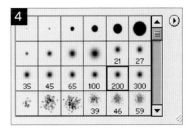

6 Pensez à utiliser l'outil Zoom pour agrandir votre image à volonté, spécialement lorsque vous travaillez sur de petits détails.

AUTRES LOGICIELS

DANS TOUTES LES VERSIONS DE PHOTOSHOP ET PHOTOSHOP ELEMENTS, les techniques de mise en couleur manuelles sont les mêmes.

DANS PAINTSHOP PRO, créez un nouveau calque avec le mode de fusion activé sur Couleur, puis utilisez les outils de dessin.

DANS PHOTOSUITE, utilisez le pinceau Tint Touchup pour modifier la couleur tout en préservant les détails sous-jacents.

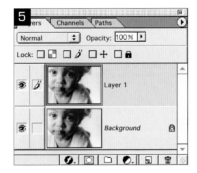

TRUCS ET ASTUCES

TRAVAILLER SUR UN NOUVEAU CALQUE
Plutôt que de retoucher l'image d'origine, il est préférable de créer un nouveau calque sur lequel vous appliquez vos retouches. En plus de la fonction Annuler et de la palette Historique, c'est une sécurité supplémentaire. Si vous n'êtes pas satisfait de ce que vous avez fait, vous supprimez le calque et vous recommencez.

Utiliser les calques >
voir pages 78-79

MODULE 07.4

LE TRAVAIL SUR LA COULEUR →
COMMANDES DE MODIFICATION
SÉLECTIVE DES COULEURS

LA MANIÈRE LA PLUS SOPHISTIQUÉE DE PROCÉDER EST D'UTILISER LES
COMMANDES COULEUR ET LES TECHNIQUES DE SÉLECTION.

LES CALQUES DE RÉGLAGE

Si vous n'êtes pas sûr de la manière dont
vous voulez modifier les couleurs d'une image
et désirez avoir la possibilité de revenir
au document d'origine, utilisez des calques
de réglage. Ils permettent de faire des essais
de couleur sans modifier de façon permanente
les pixels. Plutôt que d'ouvrir la boîte de dialogue
Couleur sélective, choisissez **Calque > Calque
de réglage** et l'option Couleur sélective.
Vous pourrez travailler sur ce nouveau calque,
avec la possibilité de revenir à l'image d'origine.
Vous pouvez aussi y faire des trous avec l'outil
Gomme pour laisser apparaître les calques
de dessous.

TRUCS ET ASTUCES

PROBLÈMES LIÉS AUX OUTILS DE SÉLECTION AUTOMATIQUE
Les outils de sélection automatique comme
la Baguette magique ou le Lasso magnétique
n'opèrent que sur les zones où les couleurs
et les contrastes sont suffisamment forts.
Le Lasso magnétique place des points d'ancrage
sur les bords des images bien contrastées. La
sélection manuelle est plus difficile à maîtriser,
mais donne des résultats bien plus satisfaisants.

CORRECTION SÉLECTIVE

Vous pouvez sélectionner une partie de l'image pour en modifier la
couleur, mais il est plus simple de changer les couleurs dominantes
en utilisant la boîte de dialogue Correction sélective.

1 Choisissez une image avec une grande zone de couleur à modifier. Il peut s'agir du
ciel bleu dans un paysage ou d'un bouquet de fleurs dans un vase.

3 Essayez de modifier une autre couleur. Choisissez Jaunes, par exemple, dans le menu déroulant. En augmentant la quantité de noir dans votre image et en diminuant la quantité de jaune, ou en le supprimant totalement, vous obtenez un résultat totalement différent.

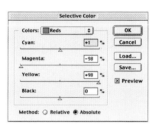

2 Ouvrez votre image, puis allez dans **Image>Réglages>Correction sélective.** Vous trouverez dans la boîte de dialogue un menu déroulant où figurent les couleurs dominantes (rouges, jaunes, verts, cyans, bleus, magentas, blancs, gris et noirs). Choisissez Rouges. Si la boîte de dialogue est devant votre image, déplacez-la. Activez la case Aperçu, puis faites glisser les curseurs triangulaires. Ici, le magenta a été réduit et le jaune augmenté, mais uniquement dans les parties rouges de l'image. Le résultat ne modifiera pas les autres zones.

LES DÉGRADÉS

Vous pouvez facilement obtenir les mêmes effets que le filtre d'un appareil conventionnel grâce à l'outil Dégradé. Ce dernier est particulièrement pratique pour ajouter de la couleur dans un ciel.

1 Recherchez une photo de paysage qui n'a guère d'intérêt par manque de couleur. Le but est d'obtenir un dégradé continu du haut en bas de l'image, aussi assurez-vous que votre paysage possède un ciel suffisamment important.

2 Choisissez l'outil Dégradé linéaire, sélectionnez le mode de fusion Couleur, réglez l'opacité à 60 % et activez la case Transparence.

3 Choisissez une couleur. Un orange constitue un bon choix car il évoquera la teinte du ciel au coucher du soleil. Préférez un bleu vif si vous souhaitez intensifier la couleur du ciel. Placez l'outil Dégradé en haut du ciel et cliquez. Faites glisser vers le bas et cliquez à nouveau à la fin de la zone sélectionnée. Si le résultat ne vous convient pas, faites **Édition>Annuler** et recommencez votre dégradé sur une zone plus réduite.

MODULE 08.1

LE PHOTOMONTAGE →

LES OUTILS

FAIRE DU PHOTOMONTAGE SUR ORDINATEUR, AVEC UN LOGICIEL DE RETOUCHE D'IMAGE, EST AUSSI PLAISANT ET CRÉATIF QUE DÉCOUPER DES IMAGES DANS UN MAGAZINE POUR FAIRE DES COLLAGES.

TRUCS ET ASTUCES

LISSAGE DU CONTOUR DE LA SÉLECTION
L'importance du lissage doit dépendre du nombre de pixels de votre image. Un lissage de 60 pixels sur une image basse résolution – 640 x 480 pixels – augmentera énormément la taille de la zone sélectionnée. Le même lissage sur une image de 3 000 x 2 000 pixels sera presque invisible.

LISSAGE PRÉRÉGLÉ
Vous pouvez régler le contour progressif des outils de sélection avant de les utiliser. Le problème est que ces valeurs restent inchangées jusqu'à ce que vous les rameniez à zéro.

COPIER-COLLER

Les commandes Copier et Coller existent sur tous les logiciels. La copie de la zone de l'image que vous avez sélectionnée est transférée dans une partie non visible de votre ordinateur appelée le presse-papier. Elle peut ensuite être collée sur un autre document ou une autre image. Le presse-papier ne peut stocker qu'un élément à la fois et se réactualise à chaque fois que vous effectuez la commande **Édition>Copier**. La commande **Édition>Coller** vous permet de sortir le contenu du presse-papier pour le coller sur le document en cours de réalisation.

CE QU'IL FAUT SAVOIR SUR LES CALQUES

Les calques sont de bons outils pour réaliser des montages car ils vous permettent d'isoler les différents éléments. L'exemple qui suit vous montre comment les calques sont représentés dans la palette Calques et quelles sont les options disponibles.

UTILISEZ LES CALQUES si vous vous attaquez à un montage complexe.

CALQUE 1

MODE DE FUSION Le mode de fusion, qui ne concerne que le calque actif, détermine comment les couleurs et le contraste affecteront le calque immédiatement sous-jacent.

CALQUES DE TEXTE À chaque fois que vous utilisez l'outil Texte, un calque se crée automatiquement. Il est symbolisé par une icône en T. Vous pouvez y revenir à tout moment pour changer le corps, la couleur ou corriger les fautes d'orthographe.

CALQUE 1, COPIE 2

LIER LES CALQUES Si vous voulez déplacer ou transformer simultanément le contenu de deux ou plusieurs calques, vous pouvez les lier. Cliquez sur l'un des calques que vous voulez utiliser, puis allez sur celui qui doit être lié et cliquez sur l'icône de lien jusqu'à ce qu'une petite chaîne apparaisse. Pour supprimer le lien, cliquez à nouveau.

MODIFIER L'ORDRE DES CALQUES Chaque calque occupe une place précise dans une palette verticale. Le calque le plus visible est en haut de cette palette. Le moins visible, celui du fond, se trouve en bas. Vous pouvez modifier ces positions en faisant glisser l'icône d'un calque vers le haut ou vers le bas.

AFFICHER/MASQUER UN CALQUE Cette icône affiche le contenu d'un calque lorsque vous cliquez dessus. Si vous cliquez à nouveau, le calque redeviendra invisible, mais il ne sera pas supprimé.

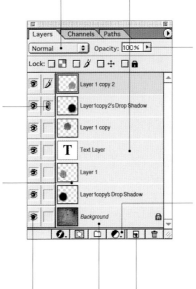

OPACITÉ Cette commande vous permet de déterminer le niveau de transparence de chaque calque. Cliquez sur celui que vous voulez modifier, puis affichez l'opacité souhaitée. Une opacité de 100 % donnera un calque totalement opaque, il obscurcira tout ce qui se trouve dessous.

CALQUES DE RÉGLAGE Vous pouvez créer des calques dénués de pixels, pour effectuer des réglages dans des boîtes de dialogue comme Niveaux, Balance des couleurs ou Teinte/Saturation, concernant les calques sous-jacents. Créez un nouveau calque, cliquez sur le petit cercle noir et blanc, puis choisissez une option. Vous pouvez faire autant de modifications que vous le souhaitez.

CALQUE DE FOND Toutes les images numériques possèdent un calque de fond, qu'elles aient été créées comme un nouveau document ou importées d'un appareil photo ou d'un scanner. Sauf si vous faites un autre choix, tout votre travail affectera ce calque. Vous ne pouvez pas faire de trou dans cette couche ou la faire glisser verticalement aussi longtemps que l'icône de verrouillage est visible. Toute coupe sera remplie automatiquement dans la couleur du fond. Pour déverrouiller ce calque, cliquez deux fois sur son icône, puis rebaptisez-le calque 0 ou d'un nom de votre choix.

CRÉER, COPIER ET SUPPRIMER DES CALQUES Pour créer un calque vide, cliquez sur l'icône qui se trouve en bas de la palette, à côté de la corbeille, et figure une feuille de papier avec un coin replié. Un calque vierge viendra immédiatement se placer au-dessus du calque actif.

Au lieu de créer des calques, vous pouvez dupliquer ceux qui existent. Pour obtenir une copie d'un calque, cliquez sur son icône et faites-la glisser jusqu'à l'icône à gauche de la corbeille.

Pour supprimer un calque, cliquez sur son icône et faites-la glisser jusqu'à la corbeille située en bas de la palette (pas sur celle du bureau).

Pour toutes ces opérations, vous pouvez aussi utiliser le menu déroulant Calque.

CALQUE 1, COPIE 1

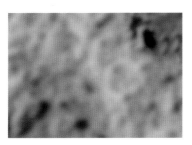

FOND

MODULE 08.2

LE PHOTOMONTAGE →
EFFETS DE TEXTE

GRÂCE AUX OUTILS DE CRÉATION D'EFFETS SPÉCIAUX, UN LOGICIEL DE RETOUCHE D'IMAGE OFFRE DES POSSIBILITÉS BEAUCOUP PLUS ÉTENDUES QUE LA PEINTURE, LE DESSIN OU UN LOGICIEL DE TRAITEMENT DE TEXTE.

Le montage – combinaison numérique de deux images ou plus – est à la base de la plupart des images en publicité. Pour qu'un montage soit totalement convaincant, vous devez choisir soigneusement la zone à transférer, puis travailler sur la luminosité, les contrastes et l'équilibre des couleurs afin d'atténuer les différences. Comme pour tout projet, préparation et patience sont les clés du succès.

i **Difficulté** > 3 (moyenne)
Temps > moins de 1 heure

VECTEURS ET PIXELS

Quand ils sont créés, les calques de texte apparaissent sous forme d'images vectorielles plutôt que sous forme de pixels carrés. Les vecteurs décrivent les objets par les caractéristiques géométriques de leurs contours. Les calques de texte sont indépendants de tous les éléments de votre projet contenant des pixels.

POINT DE DÉPART

Choisissez une image ayant une grande zone vide ou au contraire remplie de motifs. Elle servira à placer votre texte, aussi doit-elle être dénuée de détails risquant de distraire le regard.

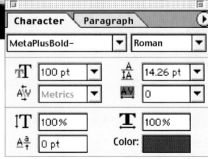

1 Cliquez sur l'outil Texte, puis tapez un mot. Augmentez la taille des caractères jusqu'à ce que le mot se lise facilement. Choisissez des lettres épaisses plutôt qu'un caractère trop fin. Choisissez ensuite une couleur qui contraste avec celle du fond de votre image (sinon, votre texte sera peu lisible).

2 Pour intégrer le texte à l'image sous-jacente, allez dans la palette Calques et cliquez sur l'icône Texte. Vous pourrez alors modifier l'intensité de la couleur du texte soit en réglant l'opacité, soit en choisissant un mode de fusion.

3 Parfois, la couleur des lettres a besoin d'être renforcée par un contour pour mieux ressortir sur le fond. Allez dans **Calque>Pixellisation>Texte** pour convertir votre texte en pixels. Sélectionnez les lettres en double-cliquant sur la vignette de leur calque : la boîte de dialogue **Style de calque** s'ouvre. Vous cochez la case Contour, puis vous double-cliquez sur Contour pour pouvoir régler la couleur et l'épaisseur du trait.

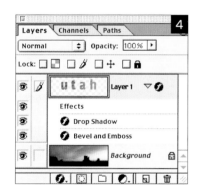

4 Pour remplir un texte de pixels, choisissez l'outil Masque de texte qui figure dans la boîte à outils sous la forme d'un T éclairé. Cet outil sélectionne des formes de lettres que vous pouvez copier-coller ou remplir. Cliquez sur votre image et tapez un mot. Cliquez sur la vignette du calque actif : seuls les contours des lettres apparaissent. Faites **Édition>Copier**, puis **Édition>Coller**, et vous aurez créé un nouveau calque. Utilisez l'outil Déplacement et faites glisser le texte à l'endroit de votre choix.

5 Une fois que vous aurez utilisé l'outil Masque de texte pour créer des lettres contenant des pixels, vous pourrez, grâce à la commande Style de calque, appliquez un effet à votre texte. À partir du menu Calque, choisissez **Style de calque>Ombre portée.** Notez la manière dont les lettres semblent maintenant se détacher du fond. Il existe d'autres effets à essayer, comme Biseautage et estampage, et Lueur interne, pour créer un effet 3-D.

MODULE 08.3

LE PHOTOMONTAGE →
TEXTURES ET TRANSPARENCES

VOUS POUVEZ SUPERPOSER DES IMAGES POUR OBTENIR DES EFFETS
INHABITUELS DE TRANSPARENCE. C'EST ÉGALEMENT UNE BONNE
MANIÈRE DE MASQUER UN FOND OU DES DÉTAILS INDÉSIRABLES.

i	**Difficulté** > 5 (importante) **Temps** > moins de 30 minutes

POINT DE DÉPART

Scannez quelques feuilles de papier texturé ou de papier fait à la
main décoré de fleurs ou de feuilles séchées. Ces images formeront
le fond de votre composition. Ensuite photographiez ou scannez des
fleurs aux couleurs vives. Enfin, scannez le portrait que vous allez
mettre en scène. Ouvrez l'un de vos fonds texturés, puis réglez la
Balance des couleurs et les Niveaux.

1 Ouvrez le portrait, faites **Édition>
Tout sélectionner**, puis **Édition>Copier**.
Cliquez dans la fenêtre du fond texturé,
puis sélectionnez la commande **Édition>
Coller**. Le portrait est devenu un calque
sur votre fond texturé. Fermez la fenêtre
du portrait.

TRUCS ET ASTUCES

COPIER ET COLLER PLUS VITE

■ Si vous avez deux images ouvertes sur le
bureau en même temps et que vous voulez
transférer une partie de l'une sur la seconde,
faites simplement votre sélection, activez
l'outil Déplacement, puis faites glisser la
sélection à l'endroit voulu. Vous ne coupez
pas l'image d'origine, vous avez seulement
fait une copie. La partie collée est devenue
automatiquement un nouveau calque.

■ Si vous voulez transférer des éléments de
l'image qui existent déjà en tant que calques,
il vous suffit de cliquer sur les icônes de ces
calques et de les faire glisser dans la fenêtre
de l'image de destination. Le résultat sera
une copie identique du calque.

2 Cliquez sur le calque du portrait et activez l'outil Gomme réglé sur le mode Aérographe, forme Arrondi flou. Passez doucement sur les zones à supprimer pour révéler la texture sous-jacente. Si vous n'êtes pas sûr de vous, zoomez et utilisez une forme plus petite.

3 Appliquez un mode de fusion à ce calque. Ici, le mode Luminosité a été activé, permettant de voir une partie de la texture du papier.

4 Intégrez l'une de vos images de fleur à votre composition à l'aide des commandes **Édition>Copier>Édition>Coller**. Effacez ensuite toutes les zones du fond qui sont indésirables.

5 Lorsque vous êtes satisfait, dupliquez les calques pour obtenir une version supplémentaire. Utilisez ensuite l'outil Déplacement pour déterminer la position de la fleur sur chaque calque.

6 Réglez ensuite l'opacité de chaque calque de façon à discerner les couches sous-jacentes. Veillez à bien changer de calque à chaque fois. Enfin, et toujours en travaillant sur un calque à la fois, essayez

différents modes de fusion. Choisissez les options une à une car il est impossible de préjuger du résultat.

7 Avant d'imprimer, sauvegardez votre image au format Photoshop (.psd). Vous remarquerez que la taille du fichier augmente avec chaque calque, aussi est-il judicieux de créer une version aplatie pour l'impression. Cliquez sur le petit triangle noir, en haut à droite de la palette Calques, et choisissez Aplatir l'image. Cette commande compile les calques en un calque unique, ce qui permet une impression plus rapide.

MODULE 08.4

LE PHOTOMONTAGE →
MONTAGE COMPLEXE

POURQUOI VOUS LIMITER À DES REPRÉSENTATIONS FIDÈLES DE LA RÉALITÉ ? AVEC TOUS LES OUTILS DONT VOUS DISPOSEZ, VOS SEULES LIMITES SONT CELLES DE VOTRE IMAGINATION.

i **Difficulté** > 5 (importante)
Temps > plus de 1 heure

POINT DE DÉPART

Trouvez une image avec suffisamment d'espace libre au centre pour y intégrer d'autres éléments, comme la représentation d'un lac ou un paysage pris au grand-angle. Prenez également une photo d'un monument connu et un portrait en pied. Ouvrez votre image de fond et faites les réglages de couleur et de contraste habituels.

TRUCS ET ASTUCES

FAIRE PIVOTER UNE SÉLECTION
Pour faire pivoter une sélection, faites
Transformer la sélection > Rotation. Placez le pointeur hors du cadre de sélection, il se transforme en flèche courbée à deux têtes qui imprime un mouvement de rotation à la sélection. Pour modifier le centre de rotation, cliquez sur le point qui marque le centre du cadre de sélection et déplacez-le avec la flèche, dans le cadre ou en dehors du cadre.

1 Ouvrez la deuxième image et faites une sélection rapide de la partie que vous voulez coller sur la première. Utilisez l'outil Déplacement pour faire glisser votre sélection sur le paysage. À l'aide de l'outil Gomme et d'un gros pinceau à contour flou, estompez les bords. Cela révèle les calques sous-jacents et fait apparaître le sable à travers l'eau.

Sélections > voir pages 96-97

<h3>TRUCS ET ASTUCES</h3>

SÉLECTIONS PRÉCISES

L'outil Plume permet d'effectuer des sélections d'une précision parfaite. Cet outil dépose une série de points d'ancrage qui peuvent être repositionnés, poussés et tirés pour épouser parfaitement les contours de l'objet à couper. Une fois qu'ils forment une boucle continue, un Tracé est créé, visible dans la palette Tracés, et peut à son tour être converti en sélection.

UTILISER LA PLUME

- Agrandissez l'image à au moins 200 % pour discerner les pixels du contour de l'objet.
- Ouvrez la palette Historique au cas où vous auriez besoin de retracer certaines étapes.
- Créez les points d'ancrage en cliquant avec la souris. Pour créer des poignées, cliquez et faites glisser votre souris. Ces poignées sont essentielles pour suivre les contours des formes courbes.
- N'oubliez pas de sauvegarder le tracé, quand vous avez terminé, en cliquant deux fois sur la vignette Tracé de travail dans la palette Tracés.

2 Sélectionnez le ciel entourant le monument à l'aide du Lasso magnétique, puis faites **Édition > Couper**.

3 Ouvrez la troisième image. Effectuez votre sélection, puis activez l'outil Déplacement afin de la faire glisser dans la fenêtre de l'image de destination. Faites **Édition > Transformation manuelle** et agrandissez ou réduisez le cadre de sélection tout en maintenant la touche Majuscule enfoncée pour conserver les proportions. Les palmes ont été effacées avec l'outil Gomme.

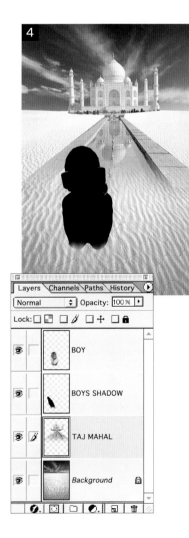

RACCOURCIS CLAVIER

Au lieu d'utiliser les menus déroulants, prenez l'habitude d'utiliser les raccourcis clavier qui permettent d'exécuter plus rapidement les commandes. Commande (Mac) ou Ctrl (PC) + T vous donne accès directement à la transformation manuelle.

4 Pour finaliser votre composition, il faut ajouter une ombre portée au personnage. Dans la palette Calques, placez le curseur sur la vignette correspondant au calque du portrait, cliquez sur Commande/Ctrl pour le sélectionner, créez un nouveau calque et remplissez la sélection de noir à 100 % en faisant **Édition > Remplir**. Si l'ombre n'apparaît pas, fermez le calque du portrait.

5 L'ombre toujours sélectionnée, faites **Édition > Transformation > Torsion.** Faites glisser chaque poignée jusqu'à ce que l'ombre semble s'affiner avec la distance. Double-cliquez au centre pour désélectionner, puis réglez l'opacité du calque de l'ombre à 40 % environ, pour que le sable soit visible en dessous.

MODULE 09.1

LES EFFETS GRAPHIQUES → LES FILTRES

LES FILTRES DES LOGICIELS DE RETOUCHE D'IMAGE FONCTIONNENT DE LA MÊME FAÇON QUE LES FILTRES OPTIQUES, MAIS ILS OFFRENT PLUS DE POSSIBILITÉS.

Cette sélection présente quelques-uns des effets les plus courants ou les plus spectaculaires. Ils sont regroupés par famille, leur intensité peut être contrôlée afin de les rendre plus ou moins sensibles.

ARTISTIQUES

Les paramètres des filtres artistiques confèrent à vos images des rendus de peinture, de crayon ou de pastel, comme si elles avaient été créées à la main. Les meilleurs résultats sont obtenus sur les natures mortes ou les paysages... Une impression sur du papier apportera une touche artistique supplémentaire.

IMAGE D'ORIGINE · FILTRE ÉTALEMENT · FILTRE AQUARELLE

PIXELLISATION

Ces filtres reproduisent le grain d'une pellicule photo ou l'aspect d'une mosaïque en fragmentant les images.

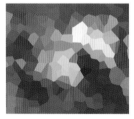

IMAGE D'ORIGINE · FILTRE CRISTALLISATION

DÉFORMATION

Les filtres de déformation : Sphérisation, Tourbillon, Ondulation, etc. créent un prisme invisible à travers lequel votre image subit des déformations dépassant largement vos rêves les plus fous. Idéal pour imiter la texture du métal ou obtenir un effet high-tech.

IMAGE D'ORIGINE · FILTRE TOURBILLON · FILTRE ONDULATION

FILTRE MOSAÏQUE

TEXTURES

Des textures diverses et variées peuvent être appliquées à vos images : canevas, patchwork, briques, craquelures...

SUR LES PETITES SURFACES

Il est possible de limiter l'application d'un filtre à une sélection, mais la meilleure méthode pour restreindre les effets d'un filtre consiste à dupliquer le calque, appliquer le filtre, puis supprimer les zones indésirables avec la gomme. Vous aurez ainsi accès à tous les paramètres du calque tels que l'opacité et le mode de fusion.

IMAGE D'ORIGINE · FILTRE CRAQUELURE · FILTRE PLACAGE DE TEXTURE

CONTOURS

Les filtres du sous-menu Contours offrent des effets assez intéressants, ils agissent sur les transitions de couleur d'une zone à
une autre. Les deux principaux à retenir sont Effet pointilliste et
Aérographe.

  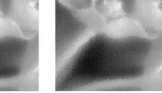

IMAGE D'ORIGINE   FILTRE EFFET POINTILLISTE   FILTRE AÉROGRAPHE

ATTÉNUER L'EFFET D'UN FILTRE

Pour éviter que des effets trop francs ne nuisent au rendu de
vos images, vous pouvez utiliser la commande **Édition>Estomper**
immédiatement après avoir appliqué un filtre. Une boîte de dialogue
vous donne alors accès à deux réglages : l'opacité et le mode de
fusion, comme dans la palette Calques.

FILTRE AQUARELLE NON ESTOMPÉ   ATTÉNUATION À 50 % D'OPACITÉ
EN MODE LUMINOSITÉ

APPLIQUER UN FILTRE AU TEXTE

Puisque les éléments typographiques sont constitués de vecteurs,
et non de pixels, vous ne pouvez leur appliquer de filtre. Pour
contourner ce problème, utilisez **Calque>Pixellisation>Texte**. Le
calque de texte est transformé en calque de pixels, vous pouvez
alors lui appliquer n'importe quel effet, mais il n'est plus possible de
changer la police, le corps ou de corriger l'orthographe. Les effets
Atténuation appliqués au texte donnent d'excellents résultats pour
créer des éléments d'interface pour des sites internet.

IMAGE D'ORIGINE   TEXTE PIXELLISÉ AVEC FLOU
DIRECTIONNEL

ATTÉNUATION

Les effets de flou donnent une
impression de mouvement. Les
filtres Flou gaussien et Flou
directionnel sont les plus utiles,
en particulier avec du texte
pixellisé.

IMAGE D'ORIGINE

FILTRE FLOU GAUSSIEN

FILTRE FLOU DIRECTIONNEL

DÉPANNAGE

Travailler avec un mode d'image autre que
le RVB peut avoir pour conséquence de griser
certaines options dans le menu Filtre. Vous ne
pourrez utiliser aucun filtre avec une image
48 bits, et très peu resteront disponibles avec
du CMJN. Effectuez alors une conversion vers
le RVB 24 bits. Si les filtres ne répondent
toujours pas, vérifiez que vous n'essayez
pas de les appliquer à un calque de texte.

MODULE 09.2

LES EFFETS GRAPHIQUES →
CRÉER UNE AQUARELLE

COMME EN PHOTO TRADITIONNELLE, L'UTILISATION DES FILTRES NE
S'IMPOSE QUE LORSQU'ELLE A POUR BUT D'AMÉLIORER VOS IMAGES.
L'UTILISATION NON JUSTIFIÉE DES FILTRES NE PRODUIT QUE DES
CRÉATIONS SANS AUCUNE COHÉRENCE GRAPHIQUE.

POINT DE DÉPART

Difficulté > 3 (moyenne)
Temps > plus de 30 minutes

Créer des cadres > voir pages 128-129

Choisissez une photo de paysage présentant toutes les qualités
requises pour une bonne aquarelle – de préférence une vue avec un
ciel chargé et un arrière-plan très riche. Essayez d'éviter les prises
de vue déformées par un objectif grand-angle, qui garderaient un
aspect photographique marqué malgré l'application du filtre
Aquarelle.

1 Ouvrez votre image et effectuez les
réglages habituels de couleur et de
contraste. Gardez une image claire, les
effets du filtre n'en seront que meilleurs.

2 Sélectionnez **Filtre>Artistiques>
Aquarelle** et modifiez les paramètres
comme indiqué.

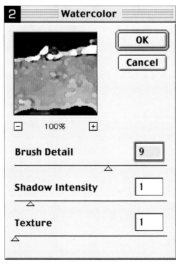

3 Attendez la fin de l'application du filtre
et jugez du résultat. Si celui-ci ne vous
satisfait pas, faites **Édition>Annuler** et
appliquez à nouveau le filtre en modifiant
les réglages. Si le résultat paraît trop
sombre, réduisez le paramètre Ombres.
Pour amplifier les marques de pinceau,
augmentez la valeur de Détail.

TRUCS ET ASTUCES

L'OUTIL DOIGT, que l'on trouve dans la boîte à
outils dans la même case que la goutte d'eau,
permet de « traîner » les pixels d'une zone vers
une autre, comme si on étalait de la peinture
avec le doigt. C'est un bon moyen pour fondre
ensemble les principales surfaces d'une image.

EFFETS DE PEINTURE

EFFETS DE PEINTURE

L'OUTIL GOUTTE D'EAU applique un flou à n'importe quelle zone de votre image. On l'utilise pour adoucir les bordures et les reliefs des différentes surfaces de l'image, en particulier lorsque celles-ci ont été durcies par le rendu d'un filtre.

L'OUTIL FORME D'HISTORIQUE ARTISTIQUE est une tentative ambitieuse de reproduction du style impressionniste. Les réglages de l'outil permettent de choisir entre différents styles : Touche, Courbure étroite, Étroit long, etc. Les pinceaux produisent l'effet d'un batteur électrique plongé dans une piscine de peinture. Le réglage Courbure large longue crée un Van Gogh instantané !

4 Lorsque vous êtes satisfait de l'image, enregistrez-la et ajoutez une bordure aquarelle avec Extensis PhotoFrame ou PhotoFrame Online si vous ne possédez pas ce logiciel. Efforcez-vous de créer une bordure cohérente autour de l'image.

5 Si des couleurs paraissent fades ou délavées, ravivez-les avec l'outil Éponge réglé sur les paramètres suivants : forme Arrondi flou et mode Saturer. Traitez de petites surfaces, une utilisation sur des zones trop étendues annulerait l'effet aquarelle.

AUTRES LOGICIELS

Les utilisateurs de PAINTSHOP PRO ou de MGI PHOTOSUITE pourront utiliser Extensis PhotoFrame Online pour cette étude.

MODULE 09.3

LES EFFETS GRAPHIQUES → COULEUR PSYCHÉDÉLIQUE ET CONTRASTE

L'UTILISATION COMBINÉE DE CALQUES DE RÉGLAGE ET DES MODES DE FUSION PRODUIT DES EFFETS DE COULEUR IMPRÉVISIBLES.

Difficulté > 3 (moyenne)
Temps > moins de 15 minutes

TRUCS ET ASTUCES

MASQUES ET POCHOIRS
Les masques sont un complément aux calques.
Ils fonctionnent comme des pochoirs en ne
laissant apparaître qu'une portion du calque
masqué. Il faut se représenter les masques
comme des morceaux de carton noir découpés
que l'on pose sur les calques.

AUTRES LOGICIELS

PAINTSHOP PRO présente exactement le même
système de calque de réglage.

MGI PHOTOSUITE possède une version simplifiée
des calques nommés Objets, qui permettent de
créer des montages à partir de plusieurs clones
de l'image originale.

Version 1 Dans le menu Calque,
choisissez **Nouveau calque de réglage>
Inverser**. Un calque de réglage est
maintenant superposé à l'original, lui
appliquant un effet de négatif.

Version 2 Pour aller plus loin dans la
transformation des couleurs, changez le
mode de fusion dans la palette Calques.
Par défaut, le mode, en haut à gauche de
la palette, est réglé sur Normal. Pour changer de mode, déroulez le menu. L'image 2
a été obtenue avec le mode Obscurcir.

CALQUE DE RÉGLAGE « INVERSER »

Le calque de réglage Inverser n'est pas un filtre, mais ses effets
sont aussi spectaculaires. **Image>Réglages>Négatif** qui remplace
les couleurs par leurs valeurs opposées : le blanc devient noir, le
jaune bleu, etc., produit le même effet. Vous pouvez utiliser cette
commande pour modifier une sélection, mais si vous utilisez un
calque de réglage, vous pourrez y faire des trous.

L'image utilisée ici comme point de départ est constituée du
seul calque de fond.

Version 3 Obtenue avec le mode de fusion Différence, cette image est le résultat peu prévisible du mélange entre image positive et négative – on observe notamment le bleu vif du ciel.

Version 4 Cette version de l'image présente un effet plus subtil sur les couleurs, obtenu en réglant le mode sur Teinte. Le ciel a viré à l'orange, alors que les pierres conservent pratiquement leur aspect naturel.

Version 5 Avec le mode de fusion Luminosité, le rendu est un étonnant mélange entre jour et nuit. L'herbe est toujours verte, mais en négatif.

Version 6 Une troisième transformation peut se combiner au calque de réglage inversé et au mode de fusion : le réglage de l'opacité du calque. Placé en haut à droite de la palette, le curseur d'opacité permet de rendre un calque plus ou moins transparent. Appliqué à la version 4, le réglage de l'opacité donne à l'image les couleurs d'une photo fanée.

UTILISER DES MASQUES

Lorsqu'un calque de réglage inversé est créé, il est affecté à toute la surface de l'image. Mais il est possible, comme avec les masques, de modifier cette surface à l'aide de n'importe quel outil de dessin : Pinceau, Gomme… Il en résulte des images combinant des éléments positifs et d'autres négatifs. Voici la procédure à suivre pour associer un calque à un masque.

1 Définissez le noir comme couleur de premier plan et pratiquez un trou dans le calque de réglage : il délimitera la zone à travers laquelle apparaîtra l'image originale. Ici, le calque a été découpé pour laisser apparaître l'herbe de la photo d'origine.

2 Sélectionnez maintenant le blanc comme couleur de premier plan et bouchez d'éventuels trous, précédemment créés dans le calque.

MODULE 09.4

LES EFFETS GRAPHIQUES → RENDU 3-D ET DÉFORMATION

LES PHOTOS PRENNENT DU RELIEF ET ACQUIÈRENT UNE TROISIÈME DIMENSION. VOUS POUVEZ FACILEMENT « EMBALLER » UNE FORME IMAGINAIRE AVEC UNE IMAGE ET RENDRE CET EFFET TRÈS CONVAINCANT.

TRUCS ET ASTUCES

L'OUTIL PIPETTE
Plutôt que de choisir au hasard des couleurs dans la palette, utilisez la pipette pour les piocher parmi celles existant dans votre image. C'est un bon moyen d'éviter des contrastes de couleur artificiels.

CRÉER DES CARRÉS OU DES CERCLES PARFAITS
L'utilisation combinée des outils Rectangle de sélection ou Ellipse de sélection et de la touche Majuscule du clavier permet d'obtenir respectivement une forme carrée ou circulaire.

i | **Difficulté** > 4 (moyenne à importante)
Temps > plus de 1 heure

POINT DE DÉPART

Pour cette étude, nous allons créer des petites sphères à partir d'une photographie de nuages, puis les organiser en une série de bulles s'échappant du front d'un personnage. Choisissez un portrait, une photo de ciel nuageux et la photo de la tête d'un animal. Le ciel sera l'image qui enveloppera la bulle contenant l'image de votre animal préféré.

1 Ouvrez le portrait et assurez-vous d'avoir suffisamment d'espace dans le haut de l'image pour ajouter de nouveaux éléments visuels. Si vous avez besoin de créer cet espace, sélectionnez la couleur la plus sombre du fond de l'image avec la pipette et définissez-la comme couleur d'arrière-plan. En agrandissant la taille de la zone de travail, vous créez de l'espace contenant automatiquement cette couleur.

2 Ouvrez l'image de ciel et effectuez les corrections de couleur et de contraste nécessaires. Utilisez l'outil Ellipse de sélection et les touches Majuscule et Alt, pour tracer un cercle parfait. **Édition > Copier**, **Édition > Coller** transférera cette sélection dans un nouveau calque.

3 Dans le menu Filtre, sélectionnez **Déformation > Sphérisation**. Réglez le filtre au maximum et observez votre ciel épouser la forme d'une sphère.

4 Avec l'outil Déplacement, glissez le calque de cette sphère dans l'image du portrait. Ne la redimensionnez pas tout de suite, vous devez d'abord y ajouter des reflets et des ombres. Par sécurité, créez un nouveau calque au-dessus de celui de la sphère et travaillez sur celui-ci. Utilisez l'aérographe, avec une forme Arrondi flou et la pression réglée à 20 %, pour dessiner une ombre noire sur la partie inférieure de la sphère. Changez maintenant de couleur, et tracez un reflet blanc sur la partie supérieure de votre sphère. Ne vous inquiétez pas si le résultat obtenu semble avoir des couleurs trop vives, vous les estomperez en jouant sur l'opacité des calques.

AUTRES LOGICIELS

MGI PHOTOSUITE possède ses propres outils de 3-D appelés Interactive Warp, disponibles sous le menu Special Effects.

PAINTSHOP PRO offre une large collection de transformations 3-D. Utilisez le navigateur d'effets pour en consulter une prévisualisation.

5

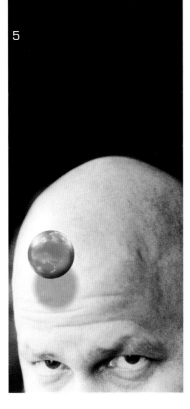

6

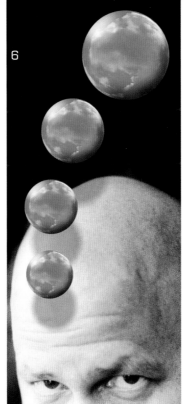

8

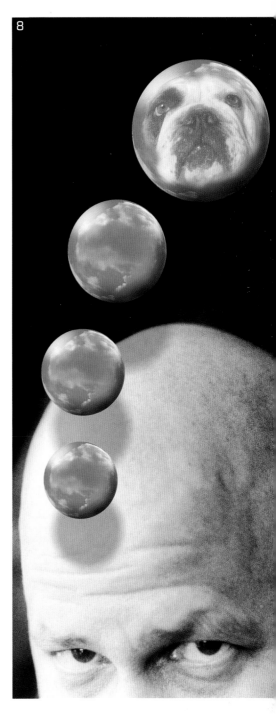

5 Une fois satisfait de votre travail de retouche, fusionnez ce dernier calque avec celui de la sphère. Vous allez maintenant créer une ombre portée en utilisant la même sélection. Ajoutez un nouveau calque. Avec **Édition>Remplir**, affectez-lui la couleur noire et appliquez un flou gaussien pour adoucir les bordures… Déplacez cette ombre vers l'emplacement qui semble correspondre à celui de la véritable ombre portée de la sphère sur le front du personnage.

6 Maintenant que vous avez votre bulle, dupliquez le calque pour en créer trois autres. Avec **Édition>Transformation> Homothétie,** redimensionnez-les pour constituer une série de taille croissante. Disposez-les de façon à créer plusieurs plans, accroissant ainsi l'effet 3-D.

7 Ouvrez l'image illustrant la pensée du personnage : l'animal de compagnie. Appliquez la même sphérisation à la tête et déplacez-la dans l'image principale. Utilisez la gomme pour effacer les parties que vous souhaitez éliminer.

8 Voici le résultat final. Les ombres derrière chaque bulle créent une véritable perspective qui renforce l'illusion 3-D.

7

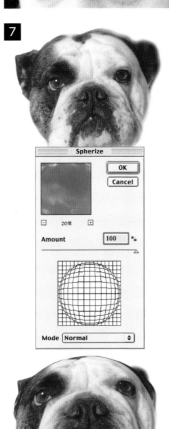

MODULE 10.1

LE PORTRAIT →
SAVOIR FAIRE UN DÉTOURAGE

L'UTILISATION DES CALQUES MONTRE PARFOIS SES LIMITES ET LE RECOURS À UNE SÉLECTION PRÉCISE EST ALORS NÉCESSAIRE ; CELA EST PARTICULIÈREMENT VRAI AVEC LA PHOTOGRAPHIE DE PERSONNAGES.

SÉLECTIONNER UNE PARTIE DE L'IMAGE

Les divers outils de sélection (Rectangle de sélection, Ellipse de sélection, Lasso, Baguette magique) auxquels vous pouvez recourir selon le travail à réaliser et selon vos préférences ont été présentés dans le module 4.1. Il est rare de pouvoir effectuer une sélection en une seule tentative, surtout si elle comporte plusieurs éléments. Aussi, serez-vous souvent amené à vous servir de plusieurs outils, alternant par exemple Rectangle de sélection et Lasso tout en utilisant les options auxquelles vous donnent accès les touches Alt ou Majuscule lorsque vous les maintenez appuyées.

AJOUTER Vous pouvez souhaiter sélectionner plusieurs éléments isolés dans une image. Les zones contenant des éléments de formes ou de couleurs différentes ne peuvent pas être sélectionnées avec un seul outil, mais vous pouvez ajouter une nouvelle zone à votre sélection en gardant la touche Majuscule enfoncée pendant que vous utilisez l'outil de Sélection. Un signe + apparaît en regard du pointeur ; en maintenant la touche Majuscule enfoncée, faites glisser le pointeur vers la nouvelle zone à sélectionner.

ÉLIMINER UNE ZONE D'UNE SÉLECTION

SOUSTRAIRE Il est parfois souhaitable d'éliminer une zone à l'intérieur d'une sélection, comme exclure un œil du visage d'un personnage. Pressez la touche Alt, le signe – apparaît en regard du pointeur. Tout en maintenant la touche Alt enfoncée, faites glisser le pointeur vers la zone à retirer que vous allez sélectionner.

SÉLECTIONNER DES ÉLÉMENTS NON CONTIGUS peut être une opération difficile.

INTERVERTIR UNE SÉLECTION Cette technique consiste à prendre comme sélection l'exact complément de celle préalablement réalisée. Elle est particulièrement utile lorsqu'il est plus simple de sélectionner un arrière-plan de couleur uniforme avec la Baguette magique. Après avoir effectué votre sélection, utilisez **Sélection>Intervertir**.

L'ARRIÈRE-PLAN blanc a été sélectionné.

SÉLECTION>INTERVERTIR sélectionne toute l'image à l'exception du blanc.

LA SÉLECTION MÉMORISÉE apparaît comme un pochoir.

MÉMORISER ET DÉPLACER LES SÉLECTIONS

Après une longue et complexe opération de sélection, il est recommandé de mémoriser celle-ci avant de la déplacer dans l'image.

UTILISATION DE LA COMMANDE EXTRAIRE Il est très difficile d'effectuer un détourage précis autour d'éléments très fins comme une chevelure. Pour cela, utilisez la commande **Image> Extraire** qui vous permet de définir le contour de la sélection avec un outil de dessin, de remplir la zone à conserver et de supprimer le reste de l'image.

MÉMORISER La commande **Sélection> Mémoriser la sélection** vous permet d'enregistrer une sélection et de la conserver comme un composant invisible de votre travail afin de la réutiliser plus tard. Une fois mémorisées, les sélections sont ajoutées à la palette Couches et sont représentées sous forme de pochoirs. Pour les récupérer, faites **Sélection>Récupérer la sélection**.

LE DÉTOURAGE DES CHEVEUX est particulièrement délicat à effectuer.

DÉPLACEMENT Vous pouvez facilement déplacer une sélection dans une image, ou d'une image à une autre. Placez deux documents côte à côte dans votre espace de travail et créez une sélection dans l'un d'eux. Sélectionnez l'outil Déplacement, placez le pointeur dans la sélection, puis faites-la glisser dans l'autre document. Cette opération laissera un trou de la forme de la sélection dans la première image.

LA COMMANDE EXTRAIRE permet de réaliser rapidement des travaux de sélection complexes.

MODULE 10.2

LE PORTRAIT →
MODIFIER LES TONS

IL FAUT APPORTER UN SOIN PARTICULIER À LA RETOUCHE DES PORTRAITS RÉALISÉS EN LUMIÈRE NATURELLE OU AVEC UN FAIBLE ÉCLAIRAGE. LE MÊME PORTRAIT, RETOUCHÉ AVEC DIFFÉRENTS RÉGLAGES DE LUMINOSITÉ, APPARAÎTRA COMPLÈTEMENT DIFFÉRENT À L'IMPRESSION. LES TROIS ÉTUDES SUIVANTES ONT ÉTÉ RÉALISÉES À PARTIR D'UNE IMAGE PLUTÔT SOMBRE.

i | **Difficulté** > 2 (faible à moyenne)
Temps > moins de 30 minutes

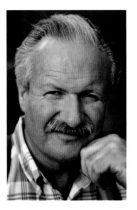

TRUCS ET ASTUCES

APPRENDRE À FAIRE DES SÉLECTIONS
L'un des principaux talents consiste à savoir isoler la bonne partie de l'image à traiter. Plus la sélection sera fine, et plus le travail effectué sera réaliste. De nombreux outils sont disponibles, les deux suivants sont les plus faciles à utiliser.

RECTANGLE DE SÉLECTION
C'est l'outil le plus simple. Avec ses quatre déclinaisons, il permet de sélectionner des zones rectangulaires, carrées, elliptiques et circulaires.

LASSO
Pour sélectionner des surfaces aux contours plus complexes, le Lasso est plus adapté. Vous utilisez simplement la souris pour tracer le contour de la zone désirée. Ayez recours au Zoom pour un travail plus précis.

COULEURS SOMBRES OU CLAIRES ?

Souvent, les débutants ne pensent pas à corriger les images trop sombres. Or celles-ci perdent leur balance des couleurs et leurs détails ; le résultat après impression est inévitablement très sombre.

L'exemple ci-dessous est le résultat type du scan d'un tirage papier effectué par un labo photo. Les couleurs sont plus chaudes et plus sombres que ce que vous pensiez, et l'image manque de détails.

Version 1 Pour améliorer l'image, on l'a éclaircie en déplaçant, dans la boîte de dialogue Niveaux, le curseur des tons moyens vers la gauche. Notez la modification des couleurs et l'apparition de détails, notamment autour des yeux.

Version 2 Si vous n'êtes toujours pas satisfait de votre image, ou bien si les couleurs de premier et d'arrière-plan tranchent trop brutalement, vous pouvez effectuer une correction de teinte. Cette version, dans laquelle les couleurs ont été neutralisées, a été obtenue en modifiant les réglages de la boîte de dialogue Teinte/Saturation.

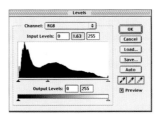

TONS NEUTRES, FROIDS OU CHAUDS

Les labos photo effectuent des tirages de qualité, fidèles, mais souvent sans personnalité parce que trop standard... Grâce à votre équipement informatique, vous disposez des outils qui vous permettent d'exprimer vos préférences personnelles.

Version 1 Un environnement très coloré peut parfois parasiter le sujet en réfléchissant des couleurs non désirées. Lorsqu'on travaille en lumière naturelle, il est tentant d'éviter les forts contrastes d'une exposition directe au soleil et de préférer un décor tirant sur le bleu, comme dans notre exemple.

Version 2 Vous pouvez facilement réchauffer une photo prise à l'ombre en intervenant sur la Balance des couleurs. Ici, un ajout de jaune et de rouge ensoleille l'image. Déplacez chaque curseur jusqu'à ce que vous constatiez une différence visible.

Version 3 Si vous recherchez un traitement rapide pour les images aux couleurs ternes, choisissez **Image> Réglages>Niveaux automatiques**. La balance des couleurs sera équilibrée automatiquement et la photo deviendra plus dynamique. Si le résultat est trop artificiel, cliquez sur **Édition>Annuler** et appliquez une correction plus subtile en intervenant sur la Balance des couleurs.

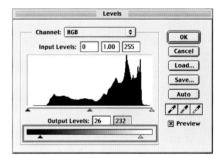

CONTRASTES MONOCHROMES

Les experts des chambres noires jouent sur les contrastes des tirages noir et blanc depuis l'invention de la photo. Vous pouvez faire de même avec les curseurs des Niveaux de sortie se trouvant au bas de la boîte de dialogue Niveaux. Ne les utilisez que rarement, c'est-à-dire seulement lorsque vous recherchez délibérément à effectuer des pertes de contraste ou à simuler de vieux tirages.

Cet exemple, réalisé à partir d'une image aux contrastes moyens, illustre les effets de cette manipulation sur l'atmosphère d'une photo.

Version 1 Pour atténuer les contrastes, rapprochez les curseurs des Niveaux de sortie afin de rendre les extrêmes clairs et sombres moins éloignés. Ainsi, les blancs vont progressivement virer vers le gris clair et les noirs vers le gris foncé. Le résultat est un portrait plus doux.

Version 2 Les images monochromes sont loin de se résumer à divers tons de gris et, lorsqu'on ajoute une teinte, on obtient parfois un gain inattendu de contraste. Cet exemple illustre l'application d'une teinte cuivrée qui aboutit à une légère accentuation des ombres.

Version 3 Le contraste a été atténué de la même façon que dans la première version, en rapprochant les curseurs des Niveaux de sortie. Puis les tons foncés et clairs ont été encore rapprochés pour obtenir un contraste plus doux.

MODULE 10.3

LE PORTRAIT →
MODIFIER LES COULEURS

EN JOUANT SUR LES COULEURS, VOUS AVEZ UN RÔLE DÉTERMINANT SUR LES PORTRAITS QUE VOUS RÉALISEZ. CES DEUX ÉTUDES ILLUSTRENT LA DÉSATURATION, LA REDÉFINITION DE TEINTE ET LA MODIFICATION DE LA COULEUR DOMINANTE.

Difficulté > 3 (moyenne)
Temps > moins de 30 minutes

TRUCS ET ASTUCES

REMPLACEMENT DE COULEUR ET SÉLECTION
Les commandes Plage de couleurs et Remplacement de couleur travaillent toutes deux par sélection de pixels de teinte similaire, plutôt que par surface de pixels contigus comme les outils de sélection. Si vous cherchez à sélectionner des plages de couleurs plutôt que des formes, utilisez l'un de ces outils.

POINT DE DÉPART

L'image d'origine a des couleurs saturées qui demandent à être atténuées par un rééquilibrage. La prise de vue a été effectuée à l'extérieur sous une lumière vive. Pour adoucir ce portrait, il faut désaturer les couleurs et le recolorer légèrement.

1 Utilisez **Calque>Dupliquer le calque** pour obtenir deux calques identiques l'un au-dessus de l'autre.

2 Cliquez sur le calque supérieur pour l'activer, puis, en allant dans **Image> Réglages**, sélectionnez Teinte/Saturation. Avec le curseur de saturation, estompez les couleurs en descendant jusqu'à une valeur de –75.

3 Retournez dans votre image et vérifiez que les couleurs ont bien été atténuées dans le calque supérieur, mais conservées dans le calque d'origine (fond).

POINT DE DÉPART

Parfois la couleur d'un arrière-plan, ou d'une portion d'image, peut nuire à l'harmonie de l'ensemble. Plutôt que d'effectuer une sélection difficile de la zone à corriger, le recours aux commandes Plage de couleurs et Remplacement de couleur est une solution efficace. Choisissez une image avec une masse colorée que vous souhaitez modifier. Dans cet exemple, l'arrière-plan bleu très fade sera transformé en un violet vif.

1 Ouvrez la photo et identifiez la couleur que vous désirez modifier. Celle-ci ne doit pas être nécessairement une forme de pixels contigus, la commande agissant comme un aimant sur l'ensemble de l'image. Ici, c'est la couleur d'arrière-plan qui va être changée.

2 Dans le menu Image, sélectionnez **Réglages>Remplacement de couleur** : la boîte de dialogue présente une version en pochoir de l'image. Sélectionnez la couleur à remplacer avec la pipette ; vous remarquez l'apparition de zones blanches qui correspondent aux surfaces sélectionnées pour être traitées. Ces zones peuvent être agrandies ou amoindries en jouant sur la Tolérance.

3 Toujours dans la boîte de dialogue, déplacez le curseur de Teinte pour trouver une nouvelle couleur satisfaisante.

4 Avec l'outil Gomme, en mode Aérographe, pression faible, 3 % par exemple, effacez doucement la couleur à modifier, zoomez pour atteindre les détails. Évitez une application trop franche de la gomme, la transition avec les couleurs du calque inférieur serait trop brutale. En cas d'erreur, dupliquez à nouveau le calque original et recommencez la procédure.

MODULE 10.4

LE PORTRAIT →
MÉDAILLONS ET EFFETS DE FLOU

CHOIX TRADITIONNEL DES PREMIERS PHOTOGRAPHES, LE MÉDAILLON EST UN BON MOYEN D'ÉLIMINER LES DÉTAILS GÊNANTS DE L'ARRIÈRE-PLAN. PARADOXALEMENT, LE FLOU MET PARFOIS EN VALEUR UN PORTRAIT.

MÉDAILLON OVALE

Difficulté	> 3 (moyenne)
Temps	> moins de 1 heure

Les médaillons permettent d'éliminer des éléments dépourvus d'intérêt en réorganisant la composition dans une zone restreinte. Vous pouvez aussi acheter un cadre ovale, mais pourquoi ne pas utiliser les fonctions simples de votre logiciel de retouche d'image ?

Pour cette étude, vous aurez besoin d'un portrait en buste (plan américain).

1 Ouvrez l'image que vous avez choisie et effectuez les réglages de Niveaux et de Balance des couleurs nécessaires. Il vaut mieux faire ces corrections dès maintenant plutôt que d'avoir à le faire lorsque vous aurez recadré la photographie en médaillon.

2 Utilisez l'outil Ellipse de sélection pour dessiner un ovale. Ne vous inquiétez pas si celui-ci n'est pas placé correctement dans l'image. Amenez le pointeur dans la forme, dès qu'il se transforme en flèche vous pouvez déplacer l'ovale dans l'image.

3 Appliquez un contour progressif de 50 pixels pour créer une bordure douce. Puis éliminez l'arrière-plan, et non le centre du portrait, en faisant **Sélection>Intervertir**, puis **Édition>Couper**.

DÉPANNAGE

Si le bord du médaillon est trop diffus et atteint le sujet du portrait, allez dans **Édition>Annuler** et répétez l'étape 3, mais choisissez cette fois un rayon de contour plus faible, 25 pixels par exemple. Si, à l'inverse, la transition est trop franche, utilisez un rayon plus important, comme 100 pixels.

FLOU SÉLECTIF

Vous pouvez facilement simuler d'importantes profondeurs de champ en sélectionnant plusieurs zones et en utilisant le filtre Flou gaussien.
Choisissez une photographie qui comporte trois plans différents bien identifiés. Le but de cette étude est d'estomper un élément de l'arrière-plan.

1 Ouvrez votre image et dupliquez le calque Fond. Dans cet exemple, l'image utilisée est une photo en couleurs convertie en niveaux de gris.

2 Dans le menu Filtre, sélectionnez **Atténuation>Flou gaussien**. Appliquez l'effet à tout le calque inférieur, et non à sa copie. Utilisez des réglages proches de ceux illustrés ci-contre.

3 Sélectionnez le calque Fond copie (net) et retirez avec l'outil Gomme les sections d'image que vous souhaitez rendre floues. En retirant des portions du calque supérieur, vous révélez les surfaces floues correspondantes du calque Fond.

IMAGE FLOUE

Une lumière diffuse est souvent mieux adaptée aux portraits qu'une lumière crue accentuant les contours. Les photographes professionnels ont depuis longtemps pris l'habitude de placer des filtres, voire un bas ou un morceau de calque, devant leur objectif ; ce procédé adoucit l'exposition et met le sujet en valeur.
Choisissez un portrait au cadrage serré, qui aurait besoin d'être adouci. Qu'il soit en couleurs ou monochrome, le traitement est le même.

1 Ouvrez votre image et effectuez un réglage de niveaux pour éclaircir les ombres du visage.

2 Dupliquez l'arrière-plan et appliquez un Flou gaussien de 25 pixels.

3 Sélectionnez le calque supérieur et choisissez Produit, comme mode de fusion, avec 60 % d'opacité.

MODULE 11.1

LE PAYSAGE → LES OUTILS

AJOUTEZ UN CIEL TOURMENTÉ À VOS PAYSAGES, TRANSFORMEZ LES COULEURS EN NOIR ET BLANC MAUSSADE, DONNEZ DU MOUVEMENT.

MÉLANGEUR DE COUCHES

Ce réglage permet de passer de la couleur au noir et blanc en conservant plus de profondeur à l'image que lorsque l'on agit sur le Mode. Faites **Image>Réglages>Mélangeur de couches**. Vous pouvez modifier la balance des couleurs avant d'effectuer le changement de mode.

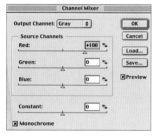

MÉLANGEUR DE COUCHES

NOIR ET BLANC Le Mélangeur de couches a une option Monochrome, en bas de la boîte de dialogue, transformant automatiquement une image couleur en image monochrome. Vous pouvez « remixer » les couleurs d'origine en jouant sur les curseurs rouge, vert et bleu. Veillez à ce que le cumul des valeurs des trois réglages n'excède pas 100.

Difficulté > 2 (faible à moyenne)
Temps > 1 heure 30

ORIGINAL

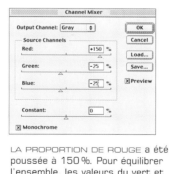

LA PROPORTION DE ROUGE a été poussée à 150 %. Pour équilibrer l'ensemble, les valeurs du vert et du bleu ont été ramenées à –25 %. Pour trouver le réglage le plus efficace, comparez avec le résultat obtenu en passant par le menu Mode.

L'ATMOSPHÈRE THÉÂTRALE de l'image originale a été renforcée au fil des différents essais de réglage.

UNE CONVERSION SIMPLE en niveaux de gris donne un résultat sans relief ; l'impact visuel de la photo n'est pas restitué.

FILTRE NUAGES

Un ciel dégagé est parfait pour faire des photos de famille, mais beaucoup moins intéressant pour transmettre l'atmosphère d'un paysage, qui sera au contraire mis en valeur par un ciel nuageux. Vous pouvez en créer un de toutes pièces avec le filtre Nuages que vous trouverez en faisant **Filtre>Rendu>Nuages**.

Ce filtre applique un motif prédéfini en utilisant les couleurs de premier plan et d'arrière-plan. Si ces couleurs ont été choisies au hasard, le résultat ne sera pas très réaliste. La meilleure méthode consiste à piocher avec la Pipette la couleur la plus sombre parmi celles qui sont présentes dans le ciel – ce sera la couleur de premier plan –, puis à choisir, de la même façon, une couleur plus claire pour l'arrière-plan. Ces deux couleurs serviront à composer votre nouveau ciel.

Le filtre Nuages n'a pas de boîte de dialogue, le contrôle de son effet réside donc dans le choix judicieux des couleurs. Essayez diverses combinaisons des couleurs de premier plan et d'arrière-plan.

Le résultat sera également meilleur si vous appliquez le filtre à une sélection ayant un contour progressif : après avoir fait votre sélection, essayez un contour progressif d'un rayon de 100 pixels environ. Pour limiter les risques d'erreurs, faites des essais sur un calque vierge.

ORIGINAL

AVEC APPLICATION DU FILTRE NUAGES

FILTRE FLOU DIRECTIONNEL

En photographie traditionnelle, les expositions longues permettent d'enregistrer certains mouvements comme celui des nuages filant au-dessus d'un paysage. Vous pouvez créer le même effet en faisant **Filtre>Atténuation>Flou directionnel**. Ce filtre comporte des paramètres réglables : l'Angle, qui détermine le sens du mouvement, et la Distance modifiable par le déplacement d'un curseur qui contrôle la quantité de flou appliqué : les valeurs basses créent une légère brise, les valeurs hautes un véritable ouragan. Lorsque vous utilisez ce filtre, efforcez-vous de conserver une image réaliste.

CHOISISSEZ UNE IMAGE avec un ciel bien contrasté, bleu et blanc par exemple, car le rendu du flou sera bien meilleur. Effectuez une sélection précise avec la Baguette magique, en prenant soin de ne pas déborder sur la terre.

APPLICATION D'UN FLOU DIRECTIONNEL DE 100 PIXELS

MODULE 11.2

LE PAYSAGE →
LA NUIT AMÉRICAINE

VOUS POUVEZ FACILEMENT DONNER L'ILLUSION QUE LES PRISES DE VUE
QUE VOUS AVEZ EFFECTUÉES EN FIN DE JOURNÉE OU AU CRÉPUSCULE
ONT ÉTÉ RÉALISÉES LA NUIT.

Difficulté > 3 (moyenne)
Temps > 1 heure 30

Faire des sélections > voir pages 96-97

En effectuant des sélections précises, vous pouvez créer une nuit artificielle sur certaines parties d'une photo, plutôt que sur son intégralité, et obtenir ainsi un rendu plus subtil. La lumière naturelle contient un large spectre de couleurs que vous pouvez manipuler pour simuler la fin du jour.

POINT DE DÉPART

Choisissez un paysage photographié en fin d'après-midi, comportant à la fois de grandes étendues de ciel et d'eau ; l'effet sera plus spectaculaire sur ces éléments. L'image ci-contre compte déjà des teintes de lumière du soir, en particulier le violet pâle qui annonce un coucher de soleil orangé. Vous pouvez corriger d'éventuels défauts de l'image avec l'outil Tampon.

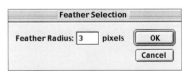

1

LE LASSO MAGNÉTIQUE

Si vous trouvez difficile l'utilisation de la Baguette magique, essayez le Lasso magnétique. Il fonctionne par détection des zones de contraste pour déterminer le contour de la zone de sélection. Cet outil ne tracera donc pas de sélection entre deux zones de couleurs proches.

1 Commencez par isoler le ciel en effectuant une sélection avec la Baguette magique. Le ciel n'étant pas un aplat uniforme de couleur ou une forme régulière, vous devrez affiner votre sélection. Utilisez les touches Alt ou Ctrl pour ajouter ou soustraire des pixels. Prenez le temps d'effectuer une sélection aussi précise que possible, le rendu final de votre travail n'en sera que meilleur. Pour atténuer le contour de votre sélection, faites **Sélection>Contour progressif** et réglez le rayon sur 3 pixels.

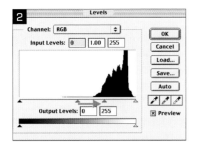

2 Pour assombrir le ciel, agissez sur la commande Niveaux. Vous avez déjà réalisé la sélection du ciel, donc l'effet de la commande sera restreint à cette zone. Faites **Image>Réglages>Niveaux** et, au lieu de déplacer le curseur des tons moyens vers la gauche, poussez-le vers la droite : le ciel s'assombrit. Ne poussez pas le curseur trop loin, sinon le ciel sera trop sombre.

3 Répétez les étapes 1 et 2 sur la surface liquide, en vous assurant d'effectuer une sélection très précise. Rendez cette zone encore plus sombre que le ciel, ce contraste renforcera l'efficacité de votre effet.

4 Revenez au ciel pour y introduire de nouvelles teintes en utilisant l'outil Éponge. Il est conseillé d'utiliser une couleur présente dans l'image, plutôt qu'une couleur choisie au hasard. Réglez l'Éponge sur le mode Saturer et sur une forme à contour flou, et balayez le ciel avec l'Éponge pour intensifier les couleurs sous-jacentes.

AJOUTER DES COULEURS

Ne vous inquiétez pas si votre photo n'a pas les teintes rosées d'une fin d'après-midi : vous pouvez les créer de toutes pièces en intervenant sur la balance des couleurs. Après l'étape 2, allez dans **Image>Réglages>Balance des couleurs** et cochez la case Tons clairs. Augmentez les proportions de Rouge et de Jaune jusqu'à ce que vous ayez obtenu le résultat attendu.

IMPRESSIONS TROP SOMBRES

Si avec ce genre d'étude, vous avez un résultat trop sombre à l'impression, cela signifie que vous avez été excessif dans l'application de l'effet de nuit. Les imprimantes ne donnent pas de très bons résultats avec les tons sombres, il faut donc éclaircir les images avant impression. Dans la boîte de dialogue Niveaux, déplacez le curseur des tons moyens vers la gauche.

MODULE 11.3

LE PAYSAGE → DONNER PLUS
DE PRÉSENCE À L'ARRIÈRE-PLAN

PAR QUELQUES TOURS DE MAGIE NUMÉRIQUE VOUS POUVEZ TRANS-
FORMER EN IMAGES ORIGINALES DES PRISES DE VUE SANS GRAND
INTÉRÊT. AJOUTEZ DES ÉLÉMENTS : NUAGES, ARCS-EN-CIEL... EMPRUN-
TÉS À D'AUTRES PHOTOS.

POINT DE DÉPART

i **Difficulté** > 2 (faible à moyenne)
Temps > 1 heure

Cherchez une photo comportant un édifice imposant qui gagnerait à
être intégré dans un arrière-plan ayant de la présence, et une autre
dans laquelle vous viendrez emprunter des éléments d'arrière-plan.
Les deux images réunies produiront un effet spectaculaire.

1 Ouvrez les deux documents que vous
avez choisis pour cette étude et placez-
les côte à côte. Cliquez dans l'image
dont l'arrière-plan doit être retiré et sélectionnez l'outil Lasso. Pour effectuer une
sélection précise, zoomez à 200 %.
Suivez minutieusement, avec l'outil de
sélection, le contour du bâtiment qui
se détache sur le ciel. Cette sélection
produira le pochoir dans lequel va apparaître le nouveau ciel que vous allez
importer.

AUTRES LOGICIELS

PHOTOSHOP ELEMENTS OU PHOTOSHOP LE
La marche à suivre est identique.

JASC PAINTSHOP PRO
Utilisez le Lasso pour tracer une sélection
puis faites **Édition > Coller > Dans la
sélection** pour ajouter le nouvel arrière-
plan. La Baguette magique est similaire.

MGI PHOTOSUITE ET PAINTSHOP PRO
Ces deux logiciels offrent également la
possibilité de travailler sur des calques et
de faire des rotations pour placer les
différents éléments de la composition.

2 Cliquez dans le document du nouvel arrière-plan pour l'activer. Pour sélectionner le ciel, faites **Sélection>Tout sélectionner**, **Édition>Copier**. Vous pouvez maintenant fermer cette image dont vous n'avez plus besoin.

3 Revenez au premier document en cliquant dedans et faites **Édition>Coller**. Cette commande insère le ciel copié dans la zone sélectionnée et crée automatiquement un nouveau calque.

4 Notez bien que l'image compte désormais deux calques, l'un pour le ciel et l'autre pour le premier plan. Essayez d'équilibrer les deux calques en jouant sur les réglages Luminosité/Contraste et Balance des couleurs. Avant d'intervenir sur un calque, cliquez sur son icône dans la palette Calques. L'image présentée ci-dessous a nécessité un réglage du contraste sur le calque du ciel. Le résultat est une fusion réussie des deux éléments de la composition.

SÉLECTION FACILE

Effectuer facilement des sélections dans une image est l'un des savoir-faire les plus difficiles à acquérir lorsque l'on fait de la retouche d'image. Mais c'est le passage obligatoire pour obtenir un résultat de qualité. Les deux outils de sélection les plus simples à utiliser sont la Baguette magique et le Lasso.

1. LA BAGUETTE MAGIQUE
Elle fonctionne comme un aimant qui attire les pixels de couleur proche. Cliquez dans une zone et observez l'extension de la sélection. Vous pouvez modifier la force de l'attraction en réglant le paramètre Tolérance. Utilisez surtout cet outil pour sélectionner des zones de couleur unie, un ciel bleu par exemple.

2. LE LASSO
Pour sélectionner des zones comportant différentes couleurs, le Lasso est plus adapté que la Baguette magique. Vous utilisez simplement la souris pour tracer le contour de votre sélection. Servez-vous du Zoom pour effectuer un travail plus précis.

LE RÔLE DE LA GOMME
L'outil Gomme efface des pixels du calque de votre choix, laissant apparaître des détails des calques inférieurs. Si on efface des pixels du calque de l'arrière-plan (Fond), ceux-ci sont remplacés par des pixels de la couleur dominante de ce calque et non par un trou de transparence.

MODULE 11.4

LE PAYSAGE →
REFLETS DANS L'EAU

CETTE ÉTUDE A CONSISTÉ À PLACER UNE ÉTENDUE D'EAU DEVANT UN MONUMENT HISTORIQUE, PUIS À CRÉER L'IMAGE DU BÂTIMENT SE REFLÉTANT DANS L'EAU.

i **Difficulté** > 4 (moyenne à importante)
Temps > 1 heure 30

POINT DE DÉPART

Procurez-vous la photographie d'un monument historique et celle d'un paysage lacustre.

1 Ouvrez l'image du monument et pré-voyez assez d'espace au premier plan pour réaliser le montage. Utilisez le Tampon pour éliminer les détails indésirables. Le premier plan carrelé a une perspective très visuelle et une texture intéressante à utiliser en transparence à travers l'eau.

2 Ouvrez l'image du paysage et faites **Sélection > Tout sélectionner**, puis **Édition > Copier**. Fermez ce document et faites **Édition > Coller** pour ajouter le paysage à la première image.

3 Utilisez l'outil Gomme, avec une forme Arrondi flou, pour fondre la surface de l'eau avec le sol. Les détails de la surface liquide seront atténués et les motifs des carreaux apparaîtront en transparence.

5

6

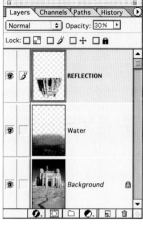

LA PALETTE CALQUES

4 Pour amalgamer l'eau et le pavement, activez le calque de l'eau et attribuez-lui une opacité de 80 %. De nouveaux détails du calque inférieur vont apparaître, mais la surface conservera une teinte et une texture aqueuses.

5 Masquez le calque de l'eau puis cliquez sur le calque Fond et effectuez une sélection du monument. Celle-ci n'a pas besoin d'être très précise car vous pourrez en corriger le contour à la prochaine étape. Faites **Édition>Copier** et **Édition>Coller** pour créer un nouveau calque avec une copie du monument. Puis, dans le menu Édition, choisissez **Transformation>Symétrie axe vertical**. Cette opération place le monument la tête en bas.

6 Déplacez la copie du momument pour qu'elle se présente comme un reflet dans l'eau. Pour créer la perspective, sélectionnez le reflet et, dans le menu Édition, faites **Transformation>Perspective**. Ramenez vers le centre une des poignées d'angle du bas de l'image pour donner l'illusion d'un point de fuite. Pour finir, sélectionnez le ciel bleu qui reste autour du bâtiment avec la Baguette Magique et faites **Édition>Couper**.

7 Retournez dans la palette Calques et réaffichez le calque de l'eau. Attribuez une opacité de 30 % au calque du reflet pour mieux le fondre dans le montage.

7

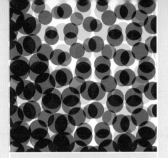

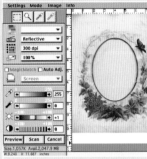

IMPRIMER
ET PUBLIER

MODULE 12.1

L'IMPRESSION → L'IMPRIMANTE

LA GAMME DES IMPRIMANTES DISPONIBLES EST SI VASTE QU'IL EST DIFFICILE DE CHOISIR LA PLUS PERFORMANTE.

IMPRIMANTES À JET D'ENCRE

Imitant le procédé de reproduction des photos couleur dans les livres et les magazines, une imprimante à jet d'encre se sert de petits points pour donner l'illusion de la couleur. Les imprimantes couleur utilisent de quatre à six couleurs d'encre pour réaliser une impression qui rassemble des millions de petits points de taille et d'intervalle différents. L'imprimante répartit ces points de façon que l'œil humain en perçoive l'ensemble comme s'il s'agissait d'une photo.

Après le logiciel de retouche d'image, l'élément déterminant pour la qualité de la sortie finale est le logiciel de pilotage de l'imprimante. En plus des réglages classiques tels que format du papier et nombre de copies, l'imprimante possède de nombreux préréglages selon le type de support employé : papier mat ou brillant, film. Il est indispensable que les réglages soient adaptés au support choisi, dans la mesure où ils indiquent à l'imprimante la quantité d'encre à projeter et l'espacement des points. Un réglage appliqué à un mauvais support donnera un résultat décevant.

IMPRIMANTE PERSONNELLE Économique et conçue pour les petits travaux courants, l'imprimante à jet d'encre de base utilise trois couleurs : cyan, magenta et jaune (CMJ) plus le noir. Ce type d'imprimante donne de bons résultats pour imprimer rapports et travaux scolaires, mais dès qu'elle prétend reproduire les couleurs nuancées d'une photo, elle montre ses limites. La sortie en quatre couleurs révèle des points blancs très voyants, censés représenter les zones claires de l'image.

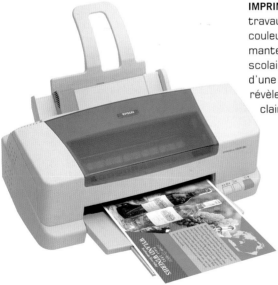

VUE À LA LOUPE une impression jet d'encre est faite de millions de petits points d'encre qui se chevauchent.

IMPRIMANTE À JET D'ENCRE
pour la maison ou le bureau

IMPRIMANTE À JET D'ENCRE
quatre couleurs

IMPRIMANTE QUALITÉ PHOTO Comme indiqué sur l'emballage par le terme « photo », ce type d'appareil donne de bien meilleurs résultats qu'une imprimante de base. Pour un prix double, cette imprimante possède le même mode d'impression CMJN, mais avec deux couleurs supplémentaires : cyan clair et magenta clair. L'addition de ces deux couleurs permet un meilleur rendu des tons chair et des nuances d'une photo. Les points deviennent aussi moins voyants. Si vous en voulez pour votre argent, prenez une imprimante à encres spéciales (claires ou à pigments), comme une Epson Stylus. Les fabricants avancent que la durée de vie des impressions peut atteindre 100 ans.

IMPRIMANTES PROFESSIONNELLES Vendues trois fois plus cher qu'une jet d'encre qualité photo, ces imprimantes visent un public professionnel de photographes et de graphistes... L'appareil peut projeter l'encre à de très hautes résolutions (de 1 440 à 2 880 dpi), avec des sorties comparables à des tirages photo. Ce type d'imprimante utilisé avec des encres claires ou à pigments peut vous donner d'excellents documents d'archives, encore que les cartouches d'encre et le papier spécial les rendent coûteux. À savoir : les imprimantes à pigments ont du mal à reproduire des couleurs saturées, et les couleurs sont moins vives qu'avec des encres classiques.

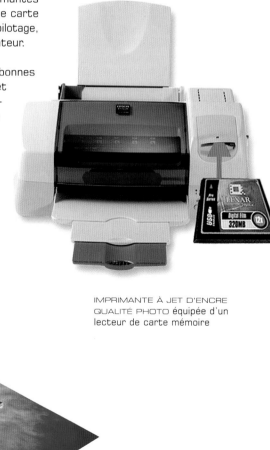

IMPRIMANTE À JET D'ENCRE PROFESSIONNELLE utilisant des encres à pigments

IMPRIMANTES À LECTEUR DE CARTE MÉMOIRE Certaines imprimantes sont équipées d'un port permettant d'imprimer à partir d'une carte mémoire d'appareil photo numérique. En utilisant le logiciel de pilotage, on peut obtenir de bons résultats sans passer par un ordinateur.

PAPIER EN ROULEAU ET PAPIER GRAND FORMAT La plupart des bonnes imprimantes ont un adaptateur pour papier en rouleau et acceptent des formats particuliers jusqu'à 76 cm de longueur. On peut ainsi imprimer sur des bandeaux, la seule limite étant la largeur du plateau de chargement.

IMPRIMANTE À JET D'ENCRE QUALITÉ PHOTO équipée d'un lecteur de carte mémoire

IMPRIMANTE À JET D'ENCRE QUALITÉ PHOTO avec adaptateur pour papier en rouleau

MODULE 12.2

L'IMPRESSION → LE SUPPORT

L'UN DES AVANTAGES DE L'IMPRESSION DE PHOTOS SUR UNE IMPRIMANTE À JET D'ENCRE EST LA GRANDE DIVERSITÉ DES SUPPORTS ACCEPTÉS. VOUS POUVEZ IMPRIMER SUR DU CALQUE, SUR DU PAPIER AQUARELLE ET SUR TOUTES SORTES DE PAPIERS MATIÉRÉS.

PAPIERS DE MARQUE EPSON ET CANON

Conçus pour donner le meilleur résultat sur les imprimantes de la même marque (qui propose également des encres), ces papiers sont un bon choix pour les débutants.

Il n'est pas facile de décrire exactement les caractéristiques d'un papier pour imprimante, mais vous trouverez ci-contre un échantillonnage des papiers les plus courants.

TAILLES DE PAPIER

L'International Standards Organization (ISO) a déterminé une norme internationale des formats de papier appelée Série normalisée internationale A.

A0	**84,1 x 118,90 cm**
A1	**59,4 x 84,1 cm**
A2	**42 x 59,4 cm**
A3	**29,7 x 42 cm**
A4	**21 x 29,7 cm**
A5	**14,8 x 21 cm**

A3 et A4 sont les formats les plus couramment utilisés par les imprimantes laser et à jet d'encre. D'autres formats de papier sont proposés par le pilote de l'imprimante dont :

B5	**17,6 x 25 cm**
Légal US	**21,6 x 35,56 cm**
Lettre US	**21,6 x 27,94 cm**

INKJETMALL.COM
Si vous voulez connaître les dernières nouveautés concernant les supports d'impression, allez sur le site inkjetmall.com. Vous y trouverez des résultats de tests impartiaux et des astuces pour tirer le meilleur parti de votre imprimante (**www.inkjetmall.com**).

MALGRÉ LEUR PRIX ÉLEVÉ, les papiers Epson et Canon sont un très bon choix pour réaliser des impressions de qualité.

Canon

PRO

- *Professional Photo Paper for the highest quality digital photographic output*
- *Papier Photo Professionnel pour la qualité optimale des impressions photos numériques*
- *Professional Photo Paper für höchste Qualität im digitalen Fotodruck*
- *Papel fotográfico profesional para impresiones de alta calidad digital*
- *Professional Photo Paper, per il migliore risultato di qualità fotografica digitale*
- *Professioneel foto papier voor de hoogste kwaliteit in digitale fotografische afdruk*

For/Pour/Für/Para/Per/Voor:
BJC-8200 *Photo*

Photo Paper Pro

Papier Photo Professionnel/Professional Fotopapier
Papel Fotográfico Profesional/Carta Fotografica Professionale
Professioneel Fotopapier

PR-101
A4 | 15 Sheets / Feuilles
Blatt / Hojas
Fogli / Vel

PAPIER STANDARD POUR IMPRIMANTE À JET D'ENCRE Il est économique et on le trouve dans tous les magasins de fournitures de bureau en ramettes de 500 feuilles. Sa surface est lisse et mate, et son usage est conseillé pour l'impression de textes et de graphiques. Il est également appelé papier 360 dpi.

PAPIER COUCHÉ QUALITÉ PHOTO Le papier couché est plus épais et beaucoup plus cher que le papier standard. D'aspect mat, il est recouvert d'une fine couche de poudre d'argile qui évite la diffusion des gouttes d'encre, permettant de reproduire les photos en couleurs mieux que le papier 360 dpi. On le trouve dans tous les formats et grammages courants, et même en double face.

PAPIER PHOTO GLACÉ Le papier photo glacé (glossy) est excellent pour les imprimantes à jet d'encre 6 couleurs. Sa surface lisse et brillante permet une grande qualité de reproduction des couleurs et donne, de plus, des noirs plus profonds que le papier mat, mais les faibles grammages ont tendance à gondoler. On le trouve dans tous les formats courants, et Agfa propose une version 2 en 1, recto brillant, verso satiné.

PAPIER PREMIUM GLACÉ C'est un papier photo brillant beaucoup plus épais, conçu spécialement comme équivalent au papier photo baryté traditionnel. Plus compact au toucher que le papier glacé normal et beaucoup plus solide, c'est le support idéal de documents appelés à être manipulés. Il est proposé par des fabricants de papier photo traditionnel, notamment Ilford et Kodak.

FILM PHOTO BRILLANT Ce support polyester, indéchirable à la main, permettra à votre imprimante de fournir les résultats les plus aboutis. Les feuilles ne peuvent être pliées et une seule face est utilisable.

PAPIERS D'ART POUR IMPRIMANTE À JET D'ENCRE Débarrassés du côté plastifié des papiers photo glacés, les papiers d'art représentent un support au toucher plus riche. Les meilleures marques sont Somerset et Lyson ; la texture de leur papier autorise une finesse du détail et une densité des couleurs remarquables. On en trouve de fort grammage (250 g).

PAPIER AQUARELLE Malgré leur ressemblance avec les précédents, les papiers aquarelle peuvent donner des résultats imprévisibles avec une imprimante à jet d'encre. Les meilleurs (et les plus chers) sont ceux qui sont prévus pour la lithographie ou la sérigraphie ; fabriqués par Rives, Arches et Fabriano, ils sont vendus à la feuille et non en blocs. C'est un bon choix si vous aimez les bords irréguliers.

FILM TRANSPARENT, ADHÉSIF, FILM TRANSFERT Le film transparent peut servir à réaliser des planches pour la rétroprojection. La version adhésive est utilisée pour faire des autocollants transparents, et la version transfert permet de transférer des images sur du textile. Ce support a une face légèrement granuleuse, destinée à recevoir l'encre. Il reproduit moins bien les couleurs vives que le film photo transparent.

LE PAPIER ARCHIVAL est un bon choix pour imprimer des photos qui sont exposées en permanence à la lumière.

LA GAMME DE PAPIER SOMERSET ENHANCED (prestige) est appréciée des professionnels.

LE PAPIER GLACÉ est un excellent support d'impression des images et photos numériques.

LE CANVAS CLOTH est recouvert d'une couche à la texture très dense, d'où son nom.

MODULE 12.3

L'IMPRESSION → PROBLÈMES COURANTS ET SOLUTIONS

LA DERNIÈRE PHASE – L'IMPRESSION DE VOTRE DOCUMENT – PEUT AMENER PROBLÈMES ET FRUSTRATION TANT QU'UNE SOLUTION N'EST PAS TROUVÉE.

LA PHOTO DE GAUCHE représente une image vue à l'écran ; sa version imprimée, à droite, est bien plus terne.

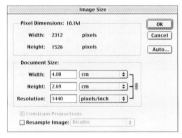

INUTILE DE CHOISIR une résolution de 1 440 dpi alors que 200 dpi suffisent largement.

DES POINTS D'ENCRE ISOLÉS et séparés par du blanc indiquent une option d'impression de faible qualité.

Q. Mes sorties ont toujours des couleurs beaucoup moins vives qu'à l'écran. Est-ce que j'ai fait une erreur ?

R. Les imprimantes ont une palette de couleurs bien plus limitée que les moniteurs, car le mélange des couleurs se fait en mode CMJN et non en RVB. Si vous utilisez Photoshop, activez dans le menu Affichage Couleurs non imprimables pour voir les couleurs qui ne seront pas imprimées, ou Couleurs de l'épreuve pour avoir un aperçu de l'impression.

Q. J'ai une jet d'encre 1 440 dpi. Dois-je attribuer à mes fichiers une résolution de 1 440 dpi pour avoir les meilleurs résultats ?

R. Non. Malgré ce qui est écrit sur l'emballage, la résolution d'une imprimante 6 couleurs 1 440 dpi est voisine de 240 dpi. Ce chiffre est obtenu en divisant 1 440 par le nombre de couleurs utilisées. En pratique, vous pouvez avoir des fichiers à 200 dpi et réaliser des tirages de bonne qualité.

Q. Pourquoi mes sorties sont-elles aussi mauvaises alors que j'imprime à partir d'un fichier en haute résolution ?

R. Vous pouvez régler votre imprimante selon la qualité désirée pour la sortie (Brouillon, Normale, Photo), ou en choisissant le nombre de gouttelettes d'encre, par exemple 360, 720 ou 1 440. Le réglage se fait parfois automatiquement en fonction du support. Optez pour un réglage supérieur et faites une nouvelle impression.

Q. Pourquoi mes impressions présentent-elles ces gros blocs carrés alors que j'ai réglé mon imprimante sur 1 440 dpi ?

R. Les impressions pixellisées ont une seule cause : la résolution de l'image est trop basse. À 72 dpi, les pixels sont visibles et apparaissent sous forme de blocs, les contours des formes et des couleurs sont crénelés. À 200 dpi, les pixels sont tout petits et invisibles à l'œil nu. Réduisez le format de votre impression, ou rescannez l'image avec une meilleure résolution.

LES SORTIES PIXELLISÉES dénotent une faible résolution de l'image d'origine.

Q. Pourquoi les images que j'ai téléchargées sur l'internet sont-elles toujours floues à l'impression ?

R. Les images que l'on trouve sur l'internet ont une résolution de 72 dpi. Si vous essayez de les agrandir pour imprimer, vous perdez beaucoup en netteté car les pixels interpolés (inventés) dépassent en nombre les pixels d'origine.

Q. Mes derniers tirages ont une teinte jaune qui subsiste même si je règle la balance des couleurs. Comment m'en débarrasser ?

R. Certaines des cartouches d'encre de votre imprimante sont peut-être vides ou bien des buses sont obturées. Si une couleur est épuisée ou qu'elle ne peut atteindre le papier, le mélange final des couleurs ne correspond pas au résultat programmé. Utilisez le pilote de l'imprimante pour nettoyer les têtes d'impression et, si cela ne fonctionne pas, changez la ou les cartouches incriminées.

UN AGRANDISSEMENT trop poussé d'une image en basse résolution lui enlève de la netteté.

UNE ALTÉRATION GLOBALE DES COULEURS évoque un problème d'encrage.

Q. Pourquoi mes images sont-elles si sombres et si empâtées quand j'imprime sur du papier d'art ?

R. Les papiers d'art ne sont pas conçus pour fixer chaque petit point d'encre séparément. Au contraire, les points se mélangent, un peu comme sur un buvard. Pour avoir de bons résultats sur ce type de support, il faut que l'image soit très lumineuse et que l'imprimante soit réglée sur 360 dpi ou sur Brouillon.

LES PAPIERS D'ART ne sont pas conçus pour les imprimantes à jet d'encre et ils peuvent mal supporter une forte charge d'encre si l'image est plutôt sombre.

MODULE 12.4

L'IMPRESSION → LES LABOS PHOTO EN LIGNE

LA DERNIÈRE NOUVEAUTÉ EN MATIÈRE D'IMPRESSION D'IMAGES NUMÉRIQUES EST LE LABO PHOTO EN LIGNE. SI VOUS ÊTES CONNECTÉ À L'INTERNET ET À L'AISE AVEC VOTRE NAVIGATEUR, LE RESTE EST FACILE.

ADRESSES DE LABOS

www.fotowire.com
www.ofoto.com
www.fotango.co.uk
www.photobox.co.uk
www.colormailer.com

COMMENT ÇA MARCHE

Dans un mini-labo relié à un serveur intervient une imprimante automatisée, semblable à celles que l'on trouve dans un labo commercial traditionnel. Les fichiers sont transférés automatiquement au labo en ligne sans intervention humaine, 24 heures sur 24. Les mini-labos numériques, comme Fuji Frontier, utilisent un laser pour projeter les images sur du papier photo traditionnel, et ce à très bas prix. Parce qu'il n'y a pas d'interposition de lentille, il ne peut y avoir d'erreur de mise au point ni de trace de poussière. La qualité est excellente.

LES LABOS PHOTO EN LIGNE effectuent des travaux de qualité et mettront en valeur vos photos de famille.

LOGICIEL DE TÉLÉCHARGEMENT

Vous pouvez vous connecter à la plupart des labos photo en ligne par l'intermédiaire de votre navigateur (Internet Explorer ou Netscape Communicator) aussi bien à partir d'un ordinateur Mac que PC. Certains labos ont conçu leur propre logiciel de transfert, tel ColorMailer Photo Service 3.0. Ce logiciel, qui peut être téléchargé gratuitement à partir du site web de ColorMailer, dispose d'outils plus pratiques que ceux des navigateurs. ColorMailer Photo Service vous permet de cadrer vos images, de choisir des bordures et surtout vous alerte si votre demande est incompatible avec la qualité de vos images... Comme Kodak, ColorMailer a des succursales dans le monde entier, ce qui vous permet de choisir la localisation du labo qui va tirer vos photos en fonction du destinataire des tirages papier.

COMPRESSION ET TEMPS DE TRANSFERT

La durée de transfert des images par l'internet dépend de la taille des fichiers, plus ils sont lourds plus le temps de transfert est long. La tentation est grande de compresser les images mais, attention, plus la compression est importante, moins la qualité d'impression sera bonne. Enregistrez vos images en JPEG, mais en ne descendant pas en dessous de 8 dans la cotation de la qualité. Réglez la résolution de vos images à 200 dpi si vous voulez éviter que les pixels ne soient visibles à l'impression.

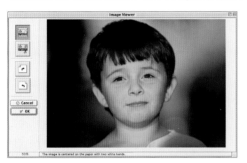

COLORMAILER PHOTO SERVICE vous permet de redimensionner vos images et d'effectuer des rotations.

STOCKER ET PARTAGER VOS IMAGES

UN LABO PHOTO EN LIGNE offre divers services d'impression et de stockage, et vous permet de partager plus facilement vos images avec vos amis.

La plupart des labos photo en ligne vous proposent également de stocker vos photos sur un serveur, sur un site sécurisé dont l'accès est régi par un mot de passe. Différents types de services sont proposés mais, en général, ils sont payants. Le stockage est parfois gratuit pendant un certain temps au bout duquel votre travail est effacé. L'avantage d'opter pour le stockage payant avec mot de passe est que vous pouvez faire profiter vos amis de votre album de photos. Ils pourront même commander à leurs frais les tirages papier qui les intéressent.

LORSQUE VOUS AVEZ CHOISI une image à imprimer, une version écran plus grande s'affiche, vous pouvez l'examiner avant de confirmer votre choix.

LA PLUPART DES LABOS vous offrent la possibilité d'organiser la présentation de vos images. Les photos sont disposées sur une sorte de planche-contact, pour que vous puissiez les voir toutes en même temps.

MODULE 13.1

IMPRESSION PERSONNALISÉE →LES OUTILS

GRÂCE À VOTRE LOGICIEL VOUS POUVEZ CRÉER TOUTES SORTES D'EFFETS EN JOUANT SUR LES COULEURS, LA NETTETÉ, OU EN AJOUTANT DES LÉGENDES. SACHEZ UTILISER LES OUTILS DISPONIBLES.

AUTRES LOGICIELS

PAINTSHOP PRO a une fonction très simple **Fichier>Aperçu avant impression**, qui montre une image en plein écran du document que vous avez sélectionné.

MGI PHOTOSUITE offre également une fonction Aperçu avant impression avec une option Nudging pour repositionner l'image sur le document à imprimer.

APERÇU AVANT IMPRESSION

Il peut être difficile de savoir exactement quelle sera la taille d'une image imprimée, c'est pour cela qu'un aperçu comme celui que l'on trouve dans Photoshop est bien pratique. En cliquant en bas à gauche de la barre inférieure du document, vous faites apparaître une fenêtre d'aperçu avant impression. Le rectangle externe correspond au format du papier sélectionné, le rectangle interne barré représente la taille de l'image. Si l'image est trop petite, revenez à la boîte de dialogue Taille de l'image et vérifiez que la résolution n'est pas trop élevée. Si c'est le cas, désactivez le rééchantillonnage et réglez la résolution sur 200 dpi. Refaites un aperçu pour vérifier la modification de la taille de l'image.

Si le rectangle interne déborde du rectangle externe, votre image est trop grande pour le format de papier sélectionné. Choisissez un format plus grand ou modifiez les réglages dans la boîte de dialogue Taille de l'image. Si la résolution de l'image est réglée sur 72 dpi, passez à 200 dpi. Si c'est encore trop grand, réduisez la taille de l'image. Retournez dans la boîte de dialogue et, après avoir réactivé le rééchantillonnage, donnez à votre document une taille plus petite que celle du papier.

Vous pouvez également réduire la taille du document grâce au logiciel de pilotage de l'imprimante ; le pourcentage de réduction n'est toutefois pas toujours très exact et ce procédé peut prendre un peu plus de temps pour imprimer l'image.

CET APERÇU, dans le coin inférieur gauche, montre comment votre photo sera placée.

CET APERÇU indique que votre image sera imprimée très petite.

SI L'IMAGE est plus grande que le format du papier, l'aperçu apparaîtra ainsi.

PRÉRÉGLAGES DU PILOTE DE L'IMPRIMANTE

Tout logiciel de pilotage d'imprimante possède différentes options pour régler la couleur, la tonalité et la netteté, et pour ajouter des effets comme le ton sépia. Ces options sont conçues pour les utilisateurs qui n'ont pas de logiciel de retouche d'image. Ces préréglages remplissent bien leur fonction d'impression des fichiers bruts d'un appareil numérique, mais laissent beaucoup moins de latitude qu'un logiciel tel que PaintShop Pro ou Photoshop Elements. Si vous voulez avoir une maîtrise totale de vos tirages papier, désactivez tous les préréglages avant d'imprimer. Quelques appareils numériques peuvent être directement connectés à une imprimante, et certaines imprimantes ont une fente pour recevoir les cartes mémoire des appareils numériques. Les préréglages constituent alors la meilleure façon d'obtenir des impressions de bonne qualité.

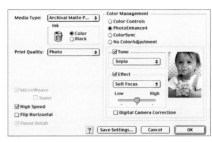

LES OPTIONS PRÉRÉGLÉES des logiciels de pilotage d'imprimantes annulent les réglages précis utilisés par votre logiciel de retouche d'image. Ils ne doivent pas être employés pour un travail de précision.

IMPRIMER UNE LÉGENDE

Les utilisateurs de Photoshop et de Photoshop Elements disposent d'une boîte de dialogue bien cachée pour ajouter des légendes à leurs images. Allez dans **Fichier>Informations**, vous y trouverez une rubrique Légende qui vous permet de saisir un texte. Une fois que l'image est enregistrée, la légende reste cachée, mais peut être rappelée lorsque l'option Imprimer la légende est sélectionnée dans la boîte de dialogue du pilote d'imprimante. Pourvu qu'il y ait un espace blanc entre le bord inférieur de l'image et celui du document imprimé, la légende apparaîtra écrite, par défaut, en Helvetica ou en Arial.

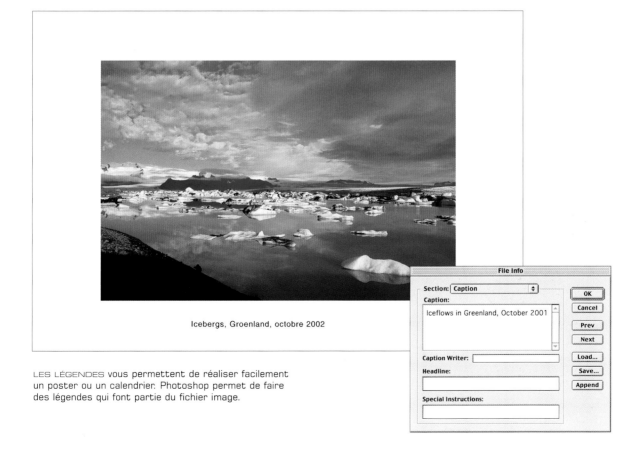

Icebergs, Groenland, octobre 2002

LES LÉGENDES vous permettent de réaliser facilement un poster ou un calendrier. Photoshop permet de faire des légendes qui font partie du fichier image.

MODULE 13.2

IMPRESSION PERSONNALISÉE →
LE CHOIX DU PAPIER

IMPRIMER VOS PHOTOS SUR DU PAPIER À GRAIN LEUR DONNE L'ASPECT D'UNE
ŒUVRE PEINTE. MAIS IL FAUT QUE VOUS PENSIEZ À RÉGLER L'IMPRIMANTE SUR
LA QUALITÉ D'IMPRESSION LA PLUS BASSE, BROUILLON OU NORMAL.

FAIRE UN TEST D'IMPRESSION

Si vous utilisez un papier spécial, commencez par imprimer une
bande d'essai. Ce test d'impression vous permettra d'apprécier
l'exposition et la balance des couleurs avant d'imprimer et vous évi-
tera de gaspiller du papier.

1 À l'aide du rectangle de sélection,
entourez la zone que vous voulez tester.
Dans un portrait, vous devez choisir une
zone de couleur chair, mais avec
d'autres images, il faut inclure des
ombres et des zones éclairées.

2 Dans **Fichier>Imprimer**, cochez **Imprimer la sélection**,
choisissez la taille du papier et imprimez. Votre sélection sera
imprimée sur le papier à tester. Faites trois essais avec des
réglages différents et adoptez celui qui vous convient le mieux.

TROP CLAIR

IMPRESSION CORRECTE

TROP SOMBRE

IMPRIMER LE RECTO ET LE VERSO

Les dernières versions de Photoshop et de Photoshop Elements permettent de contrôler avec précision la position des images sur le document imprimé. Le réglage le plus simple c'est un positionnement central, orientation Portrait ou Paysage, mais vous avez la possibilité de demander un placement correspondant à votre maquette.

1 Dans Photoshop, choisissez **Fichier> Options d'impression**, cochez **Afficher le cadre de sélection** et désactivez **Centrer l'image**. Placée au centre de l'image, la flèche vous permet de déplacer cette dernière ; pour plus de précision, utilisez les indicateurs de position.

2 Si vous imprimez sur une feuille qui sera pliée, pour réaliser une carte de vœux ou une plaquette, pensez au pli lorsque vous positionnez vos images. Si vous voulez imprimer des deux côtés de la feuille de papier, pensez à bien vérifier le sens de vos images.

Good Luck in your new job

PAPIERS À LETTRES

Les papiers à lettres donnent de très bons résultats avec les imprimantes à jet d'encre, en particulier les papiers texturés ou filigranés. Quand vous préparerez vos fichiers d'images, dans Balance des couleurs, optez pour un niveau haut des tons moyens (curseurs vers la droite) pour accentuer la luminosité, et réglez l'imprimante sur sa qualité la plus basse. Ces papiers sont en général assez fins et ils risquent de se détremper ou de gondoler si la surface imprimée est trop importante.

CRÉER UN FORMAT PERSONNALISÉ

Vous n'êtes pas obligé de toujours imprimer sur du papier A4 : vous pouvez régler votre imprimante pour qu'elle reconnaisse des formats personnalisés. Coupez quelques feuilles allongées pour imprimer des panoramas et mesurez-les avec une règle. Ouvrez ensuite la boîte de dialogue de l'imprimante et sélectionnez l'option Taille personnalisée. Créez un nom pour votre papier et entrez ses dimensions. Une fois sauvegardée, cette taille apparaîtra dans le menu déroulant Format de papier, tout comme les tailles standard. Lors d'un aperçu avant impression, votre format apparaîtra également.

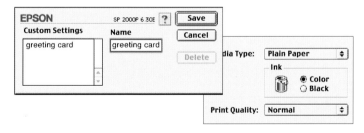

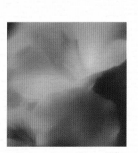

PAPIER « FAÇONNÉ » À LA MAIN

Ne déchirez pas le papier avant d'imprimer car les fibres pourraient encrasser les buses de jet d'encre de l'imprimante. Imprimez sur une feuille plus grande et découpez-la ensuite. Pour obtenir des bords irréguliers, incisez tout doucement le papier et pliez-le avant de tirer lentement avec une main. Un papier à dessin de 200 g et de qualité convient très bien.

MODULE 13.3

IMPRESSION PERSONNALISÉE →
FAIRE UN PANORAMA

GRÂCE À VOTRE LOGICIEL DE RETOUCHE D'IMAGE, TRANSFORMEZ DES IMAGES SÉPARÉES EN PANORAMA, QUE VOUS POUVEZ IMPRIMER OU ENVOYER PAR INTERNET.

i   **Difficulté** > 2 (faible à moyenne)
     Temps > 1 heure

Fourni gratuitement avec toutes les dernières imprimantes à jet d'encre Epson, Spin Panorama offre un ensemble d'outils pour raccorder différents cadres. PhotoImpact et MGI PhotoSuite ont tous les deux l'option Panorama intégrée. Le progiciel le plus perfectionné, Quick Time Virtual Reality Studio, a été conçu par Apple. Toutes les applications donnent des résultats similaires.

CHOISIR LE SUJET

Quand vous prenez des photos sur 360 degrés, il est préférable de choisir un sujet très proche, tel qu'un jardin ou une cour entourés de bâtiments ou une scène d'intérieur.

SITES WEB À CONSULTER

PANORAMA D'UNE RÉALITÉ VIRTUELLE
Pour voir quelques-unes des plus belles photographies sur 360 degrés, visitez le site web d'Apple Quicktime VR. Vous y trouverez des conseils sur la prise de vue et des liens pour prendre contact avec des passionnés de panoramas dans le monde entier. Allez sur **www.apple.com/quicktime/qtvr/**.

POINT DE DÉPART : LA PRISE DE VUE

Un panorama réussi nécessite une bonne préparation. Vous devez d'abord choisir un sujet qui garde son intérêt malgré un arc de cercle de 360 degrés, un paysage urbain par exemple. Placez-vous exactement au centre d'un cercle imaginaire avec tous les éléments à égale distance de vous. Utilisez un trépied, si vous en avez un : l'appareil ne doit pas changer de position entre les prises.

Réglez le zoom sur une position moyenne, non sur un grand-angle, et vérifiez que vous pouvez faire entrer tout ce que vous voulez dans le cadre. Quand vous êtes satisfait, ne touchez plus au réglage durant toute la prise de vue. Vous pouvez prendre vos photos au format Portrait ou Paysage, mais ne changez pas à mi-parcours. Prenez les clichés en faisant se chevaucher largement les vues successives.

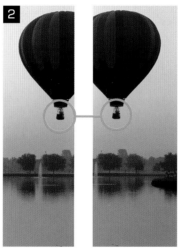

Quand vous placez vos photos côte à côte, elles paraissent très distinctes du fait des différents niveaux d'exposition choisis par votre appareil en mode automatique. Vous pouvez corriger ultérieurement cela, mais aucune différence n'apparaîtra si vous prenez les vues avec l'exposition verrouillée.

1 Transférez les fichiers dans votre ordinateur et lancez Spin Panorama. Ouvrez le dossier d'images et choisissez celles qui feront partie du panorama. Si vous ne les avez pas prises les unes à la suite des autres, modifiez l'ordre d'assemblage.

2 Recherchez dans vos photos les points de raccord se chevauchant. Faites un très gros zoom et déterminez les endroits précis où les photos doivent se chevaucher ou coïncider exactement. L'option Smart Stitch le fera pour vous automatiquement, mais le résultat est meilleur si vous le faites manuellement.

3 Une fois les photos raccordées, recadrez pour aligner les bords. Sélectionnez l'orientation paysage et déterminez la taille de l'image qui sera imprimée, mesurée en pixels. L'option Fichier Image vous permet de la sauvegarder au format JPEG ; l'option VR Movie (réalité virtuelle), sous forme d'un panorama tournant sur 360° pour l'utiliser sur le web ou sur un écran.

4 Si vous voulez effectuer des modifications, ouvrez le fichier Image dans une application de retouche d'image pour ajouter des effets de couleurs ou de filtres, ou bien enlever des détails indésirables. Pour imprimer, vous devez soit créer une taille de papier sur mesure, soit imprimer à moins de 100 %.

MODULE 13.4

IMPRESSION PERSONNALISÉE →
CRÉER UN CADRE

GRÂCE À VOTRE LOGICIEL DE RETOUCHE D'IMAGE, « ENCADREZ » VOS PHOTOS AVANT DE LES IMPRIMER.

SCANNER CADRES ET ENCADREMENTS

Difficulté > 2 (faible à moyenne)
Temps > moins de 1 heure

Comment scanner > voir page 34

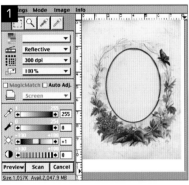

ÉTUDE 1

1 Scannez un cadre de photo décoré, en carton, sur un scanner à plat et scannez l'image ou choisissez la photo qui ira à l'intérieur. Vos originaux n'ont pas besoin d'être en parfait état, vous pourrez les retoucher avec les outils de votre logiciel de retouche d'image. Ce cadre a été découpé grossièrement à la main. Scannez-le en mode RVB et réparez le bord déchiré avec l'outil Tampon.

2 Sélectionnez l'ouverture ovale, puis revenez à l'image que vous voulez insérer et faites **Édition>Copier**. Cliquez dans l'image du cadre et faites **Édition>Coller** pour placer la photo au centre du cadre. Déplacez-la jusqu'à ce qu'elle soit dans la bonne position. Colorez et retouchez toutes les imperfections ou irrégularités de votre composition.

UTILISER PHOTOFRAME ONLINE

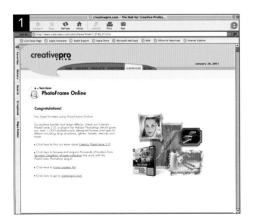

Ce logiciel de création de cadres est accessible par l'internet. Vous n'avez pas besoin d'avoir un logiciel de retouche d'image, mais juste des fichiers d'images numériques sur votre disque dur.

1 Pour utiliser PhotoFrame Online, allez sur le site web de CreativePro et enregistrez-vous comme nouvel utilisateur. C'est gratuit, mais vous devez vous souvenir de vos codes d'entrée. Cliquez ensuite sur Services et sélectionnez PhotoFrame Online (www.creativepro.com).

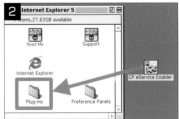

2 Pour utiliser PhotoFrame, vous devez d'abord télécharger un petit fichier de connexion, appelé CP e-Service Enabler plug-in. Cliquez sur Download et attendez quelques minutes… Une fois téléchargé dans un PC, le fichier de connexion, représenté par une petite icône, se placera automatiquement dans le répertoire de connexion du navigateur. Sur un Mac, il se peut que vous deviez le faire vous-même : **Macintosh HD> Internet Applications>Netscape** (ou Explorer)**>Plug-ins**.

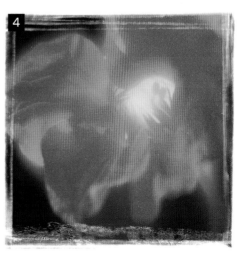

ÉTUDE 2

1 Essayez de trouver un cadre de photo un peu ancien et un portrait qui corresponde au style du cadre, scannez les deux et assemblez les images.

2 Appliquez au portrait un ton cuivré pour lui donner un air de vieille photo. Le portrait choisi pour cette étude aurait très bien pu avoir été pris au début du siècle précédent. Pour éviter que les bords de l'image encadrée ne paraissent trop nets, appliquez au calque du cadre un effet Ombre portée. La palette Calques illustre cette opération.

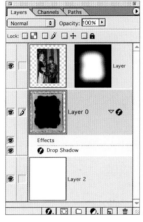

SITES WEB À CONSULTER

Pour télécharger des filtres originaux et des astuces concernant Photoshop, allez sur le site **www.actionxchange.com** ; vous y trouverez de nombreux modules gratuits pour faire des cadres et des effets de photo ou de texte.

3 Quittez votre navigateur, relancez et revenez au site de CreativePro. Quand on vous y invite, appelez le fichier image que vous voulez utiliser, puis regardez le logiciel PhotoFrame téléchargé dans votre fenêtre de navigation. Vous pouvez travailler sur des images de toutes tailles. Vos fichiers ne risquent pas d'être envoyés vers un serveur ; ils restent dans votre ordinateur.

4 Le choix de bordures proposées est limité, mais votre créativité devrait savoir en tirer parti. Ici, c'est un effet aquarelle qui a été sélectionné. Faites glisser le cadre choisi sur votre image. Une fois que vous avez enregistré l'image, vous pouvez vous déconnecter et procéder à l'impression.

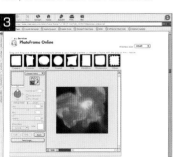

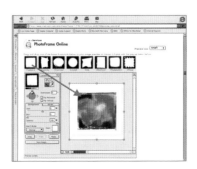

MODULE 14.1

PRÉPARER DES PHOTOS
POUR L'INTERNET → LA COMPRESSION

SI VOUS DÉSIREZ JOINDRE DES PHOTOS NUMÉRIQUES À UN E-MAIL
OU LES UTILISER SUR UN SITE WEB, IL FAUT D'ABORD LES COMPRESSER.

FORMAT « COMPRESSÉ »

JPEG est un format de compression
« destructeur », ce qui signifie que l'image
ne pourra pas être décompressée ; de ce fait,
sa qualité s'en trouve altérée. Aussi, faut-il
toujours dupliquer une image avant
de la compresser pour l'utiliser
sur le web ou la joindre à un e-mail, et
conserver l'original dans son état premier.

Les fichiers des images numériques sont lourds comparés à des
fichiers contenant du texte ou à un courrier électronique. À une
image 24 bits permettant un rendu photoréaliste correspond une
palette de couleurs composée de plus de 16 millions de teintes, on
imagine l'étendue du problème.

Heureusement, les images numériques peuvent être compressées pour réduire la taille des fichiers et être acheminées plus
rapidement par l'internet. Il existe pour cela deux principaux formats : JPEG et GIF. Les deux sont disponibles dans la plupart des
logiciels et sont accessibles par la commande Enregistrer sous.

JPEG

Le meilleur mode de compression pour les images en tons continus,
telles que les photographies, est le format JPEG (pour Joint
Photographic Experts Group). JPEG est un processus de compression qui évalue l'image par blocs de 8 x 8 pixels et compresse le
fichier en éliminant certaines
données, il s'agit d'une compression avec perte. Il est
possible de paramétrer le
degré de la compression
(Photoshop vous propose de
choisir un réglage compris
entre 0 et 12). Au bas de
l'échelle, la compression est
plus importante, le poids de
l'image est réduit, la qualité
de l'image sera donc forte-
ment altérée. En haut de
l'échelle, la compression est
moindre, le poids de l'image
est élevé, l'image est de
meilleure qualité. JPEG permet de faire un compromis
entre la taille du fichier et la
qualité de l'image.

AVANT COMPRESSION, une image comme
celle-ci occupe 6,1 Mo de mémoire.

APRÈS COMPRESSION AU FORMAT JPEG
l'image a été réduite à 120 Ko sans perte
de qualité trop sensible.

QUANTITÉ D'INFORMATIONS

Deux images ayant la même taille en pixels peuvent ne pas tolérer un format de compression identique. Si l'image est riche en couleurs et en détails, un parterre de fleurs, par exemple, elle comporte plus d'informations qu'une photo de nuages sur fond de ciel bleu. Pourquoi ? Parce que sur cette dernière image, il n'y a pas de contours nets et seulement deux couleurs, bleu et blanc. Ce qui signifie que le choix du degré de compression dépendra du contenu de votre image.

DES IMAGES COMPORTANT DE NOMBREUX DÉTAILS et une gamme étendue de couleurs sont peu compressibles.

DES IMAGES AUX CONTOURS FLOUS et comportant peu de couleurs se compressent plus facilement.

GIF

Le format GIF (pour Graphics Interchange Format) est souvent employé pour compresser des images vectorielles, comportant de grands aplats de couleurs, tels les logos. Contrairement au format JPEG, il ne peut prendre en compte les tons intermédiaires des photos. GIF compresse les images d'une manière différente, en réduisant la palette des couleurs à 256 (images 8 bits). Moins de couleurs signifie moins de données et donc des pixels plus petits. Ainsi, quand une image est enregistrée par erreur en format GIF, sa définition en 16 millions de couleurs passe à 256. L'image perd en définition ou se pixellise.

APRÈS COMPRESSION au format GIF, la perte de détails est évidente et les couleurs sont postérisées.

AVANT COMPRESSION

module 14.2

PRÉPARER DES PHOTOS POUR L'INTERNET → ENVOYER DES IMAGES EN FICHIER JOINT

| i | **Difficulté** > 1 (faible)
Temps > moins de 30 minutes |

DES IMAGES JOINTES À UN E-MAIL ARRIVENT BEAUCOUP PLUS VITE À LEUR DESTINATAIRE QU'UNE CARTE POSTALE ET PEUVENT ÊTRE IMPRIMÉES À L'ARRIVÉE.

AVANT REDIMENSIONNEMENT, la taille de la photo était de 1 800 x 1 200 pixels. Après réduction, elle est plus petite à l'écran.

1 Redéfinir la taille en pixels d'une image

La première chose à faire est de définir à quelle taille votre image apparaîtra sur l'écran de votre destinataire. Certaines personnes utilisant encore un écran VGA de 640 x 480, allez dans la boîte de dialogue **Taille de l'image** afin de réduire la taille de votre image à 600 pixels de large pour les images horizontales et 400 pixels de haut pour les images verticales. Plus grande, l'image ne pourra s'afficher correctement sur l'écran de votre destinataire. Après avoir redimensionné votre image, appliquez le filtre de renforcement Accentuation pour lui redonner la netteté perdue lors de cette modification.

2 Enregistrer au format JPEG

Ensuite, faites **Fichier>Enregistrer sous** et choisissez le format d'enregistrement **JPEG**. Donnez un nom à votre fichier, cliquez sur **Enregistrer** et attendez que la boîte de dialogue Options d'image apparaisse. Si vous voulez que le destinataire puisse imprimer votre image, choisissez une valeur moyenne, comprise entre 4 et 7. Si l'image doit seulement être visualisée, choisissez une valeur basse, de 0 à 3. Sélectionnez le format de base (« standard »).

3 Vérifier l'indicateur de taille

Avant de cliquer sur OK, regardez l'indicateur de taille en bas de la boîte de dialogue. Vous y lirez la taille finale du fichier compressé et, plus utilement, le temps que prendra son transfert par modem, selon la vitesse de ce dernier. Le temps de téléchargement de cette image de 47 Ko est estimé à 8 secondes avec un modem à 56 Kops.

LA BOÎTE DE DIALOGUE vous indique la taille finale du fichier compressé.

4 Joindre un fichier à un e-mail

Sur le disque dur, enregistrez votre fichier dans un dossier facilement repérable et ouvrez le logiciel qui gère vos e-mails. Créez un nouveau message, entrez l'adresse du destinataire et tapez votre message. À la fin, cliquez sur **Joindre** et allez chercher le fichier image dans le dossier où il a été rangé. Sélectionnez-le, revenez à votre message, connectez-vous à l'internet et envoyez. Outlook Express vous donne un aperçu des images choisies, alors que d'autres ne donnent que le nom des fichiers.

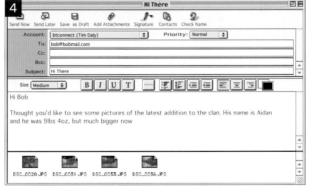

ADRESSE ÉLECTRONIQUE

Vous n'avez pas besoin de souscrire un abonnement pour avoir une adresse électronique et envoyer des e-mails. Vous pouvez utiliser votre navigateur internet et vous inscrire sur un site comme Hotmail ou Yahoo qui proposent des adresses gratuites. C'est immédiat et accessible depuis n'importe quel ordinateur. Il faut simplement vous souvenir de votre nom d'utilisateur et de votre mot de passe quand vous vous connectez.

UNIT 14.3

PRÉPARER DES PHOTOS POUR
L'INTERNET → GALERIES WEB

PAS BESOIN D'ÊTRE CONCEPTEUR DE SITES WEB POUR METTRE VOS PHOTOS
EN LIGNE SUR L'INTERNET. IL EXISTE BON NOMBRE D'OUTILS ACCESSIBLES
GRATUITEMENT POUR VOUS FACILITER LE TRAVAIL.

LABOS EN LIGNE

www.ofoto.com
www.fotowire.com
www.fotango.co.uk
www.mac.com

Les galeries de photos web sont comme des albums de photos en
ligne, ouverts en permanence au monde entier. À vous de choisir de
quelle part de conception vous désirez vous charger.

ALBUMS EN LIGNE

Les labos photo traditionnels proposent de plus en plus souvent de
charger gratuitement vos films dans un album photo sur l'internet.
Dans d'autres cas, ils vous permettent de charger vous-même vos
images depuis votre ordinateur, simplement à l'aide d'un navigateur. Ce
type de service n'autorise ni intervention sur la conception de la page,
ni création de liens avec d'autres sites mais, pour démarrer, c'est le
plus simple. Communiquez l'adresse du site une fois les photos chargées : vos amis pourront en avoir des impressions directement depuis
le labo en ligne. Ce service vous coûtera une petite somme mensuelle.

CLIQUER SUR UNE VIGNETTE
amène l'image agrandie dans
la fenêtre de prévisualisation.

LES IMAGES NUMÉRIQUES
sont chargées par modem
et présentées sous forme de
vignettes pour être consultées.

GALERIES EN LIGNE ET ALBUMS offrent un grand
choix de moyens pour diffuser largement vos images.

GABARITS

En visitant des fournisseurs d'accès comme Tripod ou AOL, vous pouvez vous inscrire pour obtenir un hébergement gratuit et des gabarits de page. Ce sont des pages prémaquettées dans lesquelles vous placez vos propres textes et images. Pas besoin de transférer ces gabarits, il suffit d'y mettre votre information en ligne. Une fois reconnu, votre site aura sa propre adresse web (URL) que vous pourrez communiquer à vos amis. Ce service est en général gratuit, mais peut comporter quelques bandeaux publicitaires inamovibles.

LA FONCTION GALERIE WEB

FOURNISSEURS DE
SERVICES EN LIGNE

www.tripod.co.uk
www.aol.com
www.geocities.com
www.freeserve.com

Plutôt que d'utiliser des gabarits en ligne, vous pouvez préférer la commande automatique Galerie Web dans Photoshop, par exemple.

Disposez d'abord dans un dossier toutes les images que vous souhaitez voir figurer. Inutile de les convertir au format JPEG : le travail se fera tout seul. Choisissez **Fichier>Automatisation>Galerie Web Photo** et sélectionnez le dossier que vous venez de créer. Vous avez le choix entre différents styles de pages, boutons et tailles d'image. Tapez OK et regardez le logiciel faire le travail à votre place.

Tous les fichiers seront groupés dans un seul dossier. Mais pour les télécharger sur votre site, il faudra d'abord vous inscrire pour obtenir un hébergement gratuit, puis utiliser un logiciel FTP pour transférer vos fichiers. Les utilisateurs de PaintShop Pro ont un lien direct avec un site d'hébergement gratuit appelé www.studioavenue.com.

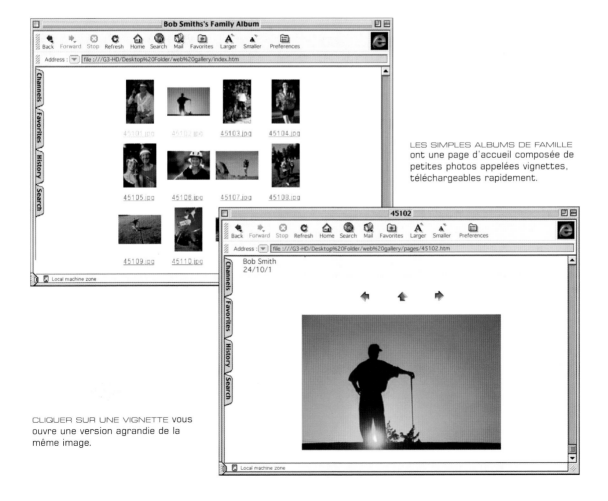

LES SIMPLES ALBUMS DE FAMILLE ont une page d'accueil composée de petites photos appelées vignettes, téléchargeables rapidement.

CLIQUER SUR UNE VIGNETTE vous ouvre une version agrandie de la même image.

DÉPANNER → SON ORDINATEUR

PAS BESOIN D'ÊTRE UN SPÉCIALISTE POUR RÉSOUDRE LES PROBLÈMES DE BASE POSÉS PAR VOTRE ORDINATEUR OU VOTRE SYSTÈME.

Q. Quand je me sers du logiciel de retouche d'image, mon ordinateur ralentit et chaque opération dure une éternité. Qu'est-ce qui peut provoquer ça ?
R. Il y a plusieurs causes possibles, mais la plus plausible est le manque de mémoire. Fermez les autres logiciels pour libérer de la mémoire et travaillez sur des fichiers situés sur le disque dur, plutôt que sur un support externe. Vérifiez l'espace disponible du disque dur : s'il reste moins de 100 Mo, supprimez des fichiers inutiles pour libérer de l'espace. Enfin, vérifiez la quantité de mémoire vive installée dans l'ordinateur. Si elle est inférieure à 64 Mo, vous aurez du mal à travailler sur des images et il vous faudra en ajouter.

Q. Mon ordinateur est lent au démarrage et poussif avec tous les logiciels.
R. Votre disque dur est sans doute fragmenté, avec des tas de petits bouts d'information écrits en ordre dispersé. Défragmentez le disque à l'aide d'un utilitaire comme Norton Utilities. Vous constaterez une amélioration immédiate.

Q. Depuis que j'ai acheté un nouveau scanner, mon ordinateur n'arrête pas de planter.
R. Cela ressemble fort à un conflit entre plusieurs logiciels de pilotage. Cherchez sur le site web du fabricant de scanner une mise à jour ou une nouvelle version, téléchargeable gratuitement, la plupart du temps.

Q. Certaines polices s'affichent mal à l'écran, pourquoi ?
R. Cela se produit si l'on n'utilise pas de logiciel du genre Adobe Type Manager (ATM), qui lisse les polices écran pour une utilisation plus commode. ATM Light est souvent livré gratuitement avec les logiciels Adobe.

Q. Mon PC n'arrive pas à lire les supports Mac, pourquoi ?
R. Les PC ne peuvent lire les supports Mac, mais les Mac peuvent lire les supports formatés PC. Si vous devez transférer des informations d'une plate-forme à l'autre, utilisez toujours des supports formatés PC et ajoutez une extension après le nom de votre fichier (.txt, par exemple).

Q. Mon disque dur est plein et je ne sais pas quels fichiers jeter.
R. Quand un ordinateur plante, il crée d'énormes fichiers, appelés fichiers temporaires ou .tmp, en attendant la récupération des données perdues. Si l'on n'y prend pas garde, ces fichiers peuvent rapidement saturer le disque dur... Cherchez les fichiers ou dossiers dépassant, disons, 10 Mo, ou comportant l'extension « tmp ». Supprimez-les pour libérer de l'espace.

Q. J'ai jeté par erreur des fichiers importants. Comment les récupérer ?
R. Si vous vous êtes peu servi de l'ordinateur depuis votre erreur, les fichiers doivent encore être là, invisibles. Dans Norton Utilities, servez-vous de la fonction UnErase pour récupérer les données perdues. En cas d'enregistrement d'autres fichiers ou d'installation d'autres logiciels dans l'intervalle, les nouvelles données risquent d'avoir écrasé les fichiers perdus.

GLOSSAIRE

BALANCE DES BLANCS Sur les appareils numériques, il existe pour corriger la température de couleur trois modes préréglés, un mode automatique et une position manuelle, ou blanc mesuré. Une mauvaise balance des blancs donne, par exemple, une image bleue en lumière artificielle.

BIT Unité de base, binaire, des données informatiques.

BITMAP Qualifie une image digitale composée d'une grille de couleurs, ou pixels, par opposition à une image vectorielle.

BRUIT En photo, tout ce qui intervient au détriment de la qualité de l'image (comme le souffle à la radio). En argentique, il s'agit du grain (grain d'halogénure d'argent). En numérique, des phénomènes similaires se produisent, particulièrement dans les noirs profonds ; le système invente alors des grains colorés dans les surfaces sombres.

CARTE MÉMOIRE AMOVIBLE Les appareils numériques possèdent une carte mémoire amovible, appelée aussi mémoire Flash ou carte Flash, dont la capacité va de 16 Mo à 1 Go. Les cartes de grande capacité sont plus chères, mais elles permettent d'effectuer un plus grand nombre de prises de vue avant de les transférer sur un ordinateur ou un autre support de stockage.

CCD (Charge-Coupled Device) C'est le capteur optique utilisé par les appareils photo numériques et les scanners pour l'acquisition des images.

CD-R Le compact-disc inscriptible est le support le moins cher pour stocker des données informatiques et notamment des images numériques. Pour transférer des données sur un CD-R, il faut avoir un graveur de CD. La plupart des ordinateurs actuels sont équipés d'un lecteur de CD-Rom.

CD-RW Le compact-disc réinscriptible est d'une utilisation plus souple que le CD-R puisqu'il peut être gravé, effacé, puis gravé à nouveau, un peu comme une disquette. Les CD-RW ont la même capicité que les CD-R : 640 Mo.

CIS (Contact Image Sensors) Apparus tout récemment sur le marché, ces capteurs équipent les scanners et permettent l'acquisition d'images en très haute résolution.

CMJN Mode de sélection des images en quatre couleurs (cyan, magenta, jaune et noir) pour leur impression en quadrichromie. La plupart des illustrations présentes dans les livres et magazines sont imprimées selon ce procédé.

CODAGE GRAPHIQUE DES IMAGES Le codage 8 bits autorise une palette de 256 couleurs. Le codage 16 bits autorise une palette de 65 536 couleurs. Le codage 24 bits autorise une palette de plus de 16 millions de teintes.

COMPACTFLASH Carte mémoire amovible possédant une très grande capacité de stockage, mais ne fonctionnant qu'avec un nombre restreint de modèles et qui, de plus, est assez chère.

COMPRESSION Procédé consistant à réduire la taille d'un fichier informatique. Cela permet par exemple d'archiver un plus grand nombre d'images numériques sur un CD. Selon le format utilisé, la compression d'une image se fait avec ou sans perte d'informations.

DÉFINITION Quantité de pixels constituant une image. Peut être exprimée en octets (taille du fichier) ou en nombre de pixels.

DÉTRAMAGE
Fonction des logiciels de retouche d'image qui permet de supprimer l'effet de moirage produit par la numérisation d'un document imprimé.

DPI (dot per inch) Mesure de résolution concernant les scanners, les imprimantes et les images.
Scanner La résolution la plus haute d'un scanner est exprimée en dpi ; plus le nombre est élevé, plus la définition de l'image digitalisée est bonne, permettant une impression en grand format de qualité satisfaisante.
Imprimante Pour une imprimante à jet d'encre, c'est le nombre de gouttes d'encre projetées sur du papier ou un autre support.
Fichier image C'est la mesure du rapport entre un nombre défini de pixels et la mesure physique de l'image.

DPOF (Digital Print Order Format) Format mis au point par l'industrie photographique et permettant l'accès direct à partir de photocopieurs et d'imprimantes à des images stockées sur des cartes mémoire. Ce protocole facilite le traitement des images par les laboratoires professionnels.

EPS Format d'enregistrement de fichiers image permettant leur importation dans des logiciels de mise en pages.

EXPOSITION Quantité de lumière admise dans l'appareil lors de la prise de vue et contrôlée par la vitesse d'obturation, l'ouverture du diaphragme et le réglage ISO.

FIREWIRE Interface permettant de transférer rapidement un volume important de données. Seuls les appareils numériques et les caméras vidéo haut de gamme en sont équipés.

FLASHPATH Adaptateur de la forme d'une disquette 3.5" et qui, inséré dans le lecteur de disquette d'un ordinateur, permet d'accéder aux cartes mémoire SmartMedia.

FLASHPIX Format d'enregistrement d'images développé par Kodak/HP. Attention, les fichiers de ce format ne peuvent être ouverts que dans une application compatible.

FORMAT Les images numériques peuvent être enregistrées dans différents formats (JPEG, TIFF, PSD, PDF, EPS). Le choix du format est déterminé par la destination de l'image : impression, e-mail, site web.

GIF (Graphics Interchange Format) Format d'enregistrement des images qui réduit la palette des couleurs à 256 (images 8 bits) très utilisé sur le web.

INTERPOLATION Création ou suppression de pixels lorsqu'une image est redimensionnée (réduite ou agrandie). La modification du nombre de pixels se fait en en introduisant de nouveaux selon une formule mathématique. La qualité d'une image redimensionnée est moindre que celle d'une image dont on n'a pas modifié le format.

JPEG Format d'enregistrement des images permettant des compressions importantes (avec perte d'informations), mis au point par le Joint Photographic Experts Group (d'où l'acronyme). La plupart des appareils numériques sauvegardent les images en fichiers JPEG, ce qui permet de ne pas saturer trop rapidement les cartes mémoire.

LCD (Liquid Crystal Display) Écran à cristaux liquides. La plupart des appareils photo numériques sont équipés de ce type d'afficheur dorsal qui permet de prévisualiser ou de revoir les images.

MÉGAPIXEL (un million de pixels) Fait référence à la sensibilité du capteur CCD d'un appareil numérique. Les appareils les plus performants dépassent les trois millions de pixels.

MEMORYSTICK Carte mémoire mise au point par Sony et équipant uniquement les appareils photo et caméras vidéo de cette marque.

MODE BITMAP Mode de digitalisation d'une image utilisant deux valeurs chromatiques : noir et blanc. Une image Bitmap ne comporte que des pixels noirs et des pixels blancs.

MODE NIVEAUX DE GRIS Mode d'acquisition et d'affichage des images noir et blanc. Chaque pixel d'une image a une valeur de luminosité allant de 0 (noir) à 255 (blanc). Ces 256 nuances sont suffisantes pour que l'œil ne détecte pas la décomposition de l'image.

MODE RVB (rouge, vert, bleu) C'est le mode standard d'acquisition et de compression des images en couleurs. Chacune des trois couleurs est déclinée en 256 nuances.

OCTET Ensemble de 8 éléments binaires (8 bits).

PANORAMA Image de grande largeur réalisée avec un objectif spécial ou par assemblage de plusieurs images grâce à un logiciel de retouche d'image.

PARALLAXE Différence entre l'image vue dans le viseur et celle enregistrée par l'objectif et qui entraîne des défauts particulièrement visibles sur les travaux des photographes amateurs (têtes coupées et autres amputations !).

PARALLÈLE Mode de connexion dépassé qui équipait précédemment les scanners et les imprimantes. Les connexions parallèles sont les plus lentes.

PCMCIA Adaptateur permettant de transférer les données d'une carte mémoire CompactFlash sur un ordinateur sans avoir besoin d'utiliser un driver (logiciel de pilotage).

PHOTO CD Format graphique créé par Kodak pour le stockage d'images sur CD-Rom.

PIXEL (de Picture Element) Élément de base d'une image numérique. Chaque pixel a une couleur spécifique et l'acquisition numérique se fait en mode RVB.

PIXELLISÉ Se dit de l'impression d'une image en basse résolution, caractérisée par un petit nombre de pixels, larges et grossiers, qui déforment le contour des formes et les détails.

PLUG-IN Fichier séparé qui, ajouté à un logiciel, lui donne une fonction supplémentaire.

RAM (Random Access Memory) Appelée aussi mémoire vive, c'est là où l'ordinateur mémorise les données juste avant qu'elles soient traitées par le processeur et enregistrées sur le disque dur. Plus la mémoire vive est importante, plus vous pouvez avoir de logiciels ouverts simultanément et plus vous pouvez travailler rapidement sur de gros fichiers.

RAPIDITÉ INTER-IMAGES Détermine le temps d'attente entre deux prises de vue.

RÉSOLUTION Terme utilisé pour définir la qualité d'une image. Les images acquises en haute résolution offrent la meilleure qualité de reproduction à l'impression. Leur inconvénient est la taille du fichier qu'elles génèrent – chaque image peut contenir plus d'un million de pixels –, elles mobilisent une part importante de mémoire, d'où un problème de stockage. Les images en basse résolution occupent des fichiers de petite taille, mais leur qualité médiocre limite leur usage à l'internet et aux maquettes.

RÉSOLUTION OPTIQUE C'est la résolution « vraie » d'une image non redimensionnée, c'est-à-dire dont le nombre de pixels n'a pas été modifié.

SCSI (Small Computer Systems Interface) Cette interface de connexion des périphériques à un ordinateur est en passe d'être remplacée par les ports USB et FireWire.

SÉRIE Autre mode de connexion en passe de disparaître, au profit des interfaces USB et FireWire.

SMARTMEDIA C'est la plus mince des cartes mémoire amovibles. Sa capacité maximale est de 128 Mo.

TIFF (Tagged Image File Format) Format standard d'enregistrement des images, reconnu par la plupart des logiciels et utilisable aussi bien sur Mac que sur PC.

TRAIT Œuvre graphique réalisée en une seule couleur et sans tons intermédiaires.

TWAIN (Toolkit Without an Interesting Name) Protocole servant d'interface entre les logiciels de retouche d'image et des périphériques tels que scanners et appareils numériques.

USB (Universal Serial Bus) Moins rapide que FireWire, cette interface est toutefois largement plus rapide que les ports SCSI, parallèles et série. Elle facilite la liaison entre les différents périphériques et l'unité centrale, et n'exige pas que l'ordinateur soit éteint pour établir la connexion.

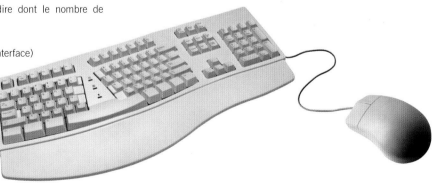

INDEX

Les chiffres en italique renvoient aux légendes, ceux en gras aux entrées principales.

CRÉDITS

L'éditeur tient à remercier les marques suivantes qui l'ont autorisé à reproduire les illustrations figurant dans cet ouvrage :

(légende : h = haut, c = centre, b = bas, g = gauche, d = droite)

Apple Computers : 8 bc, 12 g, 16, 138 c ;
Belkin : 10 cg, bg, 138 bg ;
Canon : 1, 14 g, 25 b, 116, 139 hd ;
Compaq : 11 hd, 13 hd, 17 ;
Epson : 4 b, 114 bg, bd, 115, 117 h, bc, b ;
Fuji : 4 h, 8 hc, 15 hg, 18, 19 hd, cd, bd, 20 hd, 21 hd ;
Imation : 15 bg ;
Iomega International sa : 15 cd, bd, bc, 27 b, 137 h ;
Kodak : 3, 20 bc, 22 bg, 37 b, 50 b ;
Lexar Media : 8 h, 19 bc, 26, 27 h, 115 bd, 137 b, 138 h ;
Minolta (UK) Ltd : 21 g ;
PC World : 11 hg, bg, 15 hd (Hewlett Packard), 29 b, 37 h, 139 c (Hewlett Packard) ;
Umax : 14 d.

Si des erreurs ou des omissions subsistaient, malgré tous nos efforts pour les éviter, que les propriétaires des copyrights veuillent bien ne pas nous en tenir rigueur et accepter nos excuses.

Intérieur de l'ouvrage
Direction artistique : Moira Clinch, Karla Jennings
Conception graphique : James Lawrence
Iconographie : Sandra Assersohn
Photogravure : Universal Graphics Pte Ltd, Singapour

Couverture de l'ouvrage
Photos de couverture : © Quarto Publishing

Pour l'adaptation française
Traduction adaptation : ACCORD Toulouse
sous la direction de Philippe Poitou, photographe
Réalisation : ACCORD, Toulouse

Imprimé et relié à Jurong Town, Singapour
par Star Standard Industries Pte Ltd.